經書淺談

楊伯峻等著

《文史知識叢書》緣起

《文史知識》創刊以來，我們從讀者那裏得到了支持和鼓舞，也從讀者那裏受到了教育和啓發。我們的祖國，是一個歷史悠久的文明古國，有燦爛的文化和豐富的典籍，中華民族各族人民在共同締造祖國歷史的過程中，建立過光輝的業績，也走過艱難曲折的道路。現在，我們偉大祖國，已經進入了新的歷史時期，爲了實現社會主義的四個現代化，把我國建設成爲高度民主和高度文明的社會主義强國，我們應該學習我們民族的歷史，增强民族自尊心和自信心，增强對祖國的歷史責任感和愛國主義精神。

「九層之臺起於累土」。《文史知識》是以介紹中國歷史和中國古代文學的基本知識爲主要內容的刊物，儘管我們的能力和水平有限，但是我們願意和廣大讀者作者一道，爲這一偉大的事業聊盡綿薄之力，爲廣大讀者提供一些切實有用的歷史文化知識。如果讀者在工作和學習中，從我們的刊物裏得到一點益處和方便，那是我們最大的欣慰了。

《文史知識》創刊伊始，我們就曾設想，有些欄目的文章，積累到一定的時候，就會形成比較系統的專門知識。如今，隨著刊物的發展，有些專欄已初具規模。我們根據讀者的建議，在這個基礎上着手編輯《文史知識叢書》。它的作法是，選擇《文史知識》中讀者歡迎的欄目，把其中已經發表的文章加以必要的修改，對缺少的題目作些補充和調整，然後分門別類地、有系統地編在一起，陸續爲讀者提供一批較爲系統的文史知識讀物。

《文史知識叢書》僅僅是繁茂書林中的一顆幼苗，當它破土而出的時候，是免不了脆弱的，但是，我們相信，在廣大讀者和作者的扶植培育下，它會漸漸地茁壯起來。誠摯地希望讀者和專家學者，不斷給我們以幫助指導，把這套叢書編好。

《文史知識》編輯部

目錄

導言

楊伯峻

一、一點說明

這裡談的「經書」，其實就是「十三經」，它是自宋朝以來確定的，到今天還習以爲常，不是有《十三經白文》、《十三經索引》、《十三經注疏》等等可以爲證嗎？這是「儒家」的經典。拆穿西洋鏡，也不過那麼回事。

經書淺談，只限於淺談各種「經書」的主要內容、著作年代、我們今天怎樣看待它、若要研究它，如何著手，如何深入。在這些方面提供自己一點看法，同時掃清一些研究上的障礙。

二、「經」名考

爲什麼叫「經」？有各種各樣的說法。我把一些難以站住脚的各種說法撇開不談，專從歷史考據上講講這問題。「經」作書名，最早見於《國語·吳語》的「挾經秉枹」。這是講吳王夫差要和晉國決一勝負的戰前情況。韋昭注說：「經，兵書也。」而清末俞樾却認爲「世無臨陣而讀兵書者」。依俞樾說，「挾經」是掖著劍把手，「秉桴」是拿著鼓槌。但劍不插在劍鞘裡，偏要挾在腋下，不但古代無此說法，而且捶鼓也難以使勁。俞樾的說法有破綻。總之，面臨交戰，挾着兵書臨時請教它，自未免可笑，俞樾這一駁斥還是有道理的。因之，《吳語》的「經」，我們不看做「兵書」。《墨子》有〈經〉上、下篇，也有〈經說〉上、下篇。〈經〉的文字簡單，甚至三四個字便是一個命題。《莊子·天下篇》說墨學弟子徒孫都讀《墨經》，可見「墨經」之說起於戰國。〈經說〉便加以說明。《荀子·解蔽篇》引有《道經》，不知《道經》是什麼時代的書。《韓非子》的〈內儲說〉上、下，和〈外儲說〉左上、左下，右上、右下（共四篇）也有「經」和「說」，可能是仿效《墨經》的。可見「經」是提綱，「說」是解釋或用故事來作證和說明。《禮記》有〈經解篇〉，可能是因此而得啓發的。至於《漢書·藝文志》有《黃帝內經》一類醫書，因爲那是後人僞作的，便不討論了。

由上所述，「經」名之起，不在「儒家」。「經」的意義，也未必是用它「經常」的意義，表示它是永遠不變的眞理。西漢的經學家以及以後的「今文派」認爲只有孔子所著才能叫「經」，他們不懂，「經」未必是孔子所著；而且「經」名之起，據目前所知文獻記載，大概起於「墨經」，不起於孔子。後代把「經書」這一「經」字神秘化，甚至宗教化，因之凡佛所說叫做「佛經」，伊斯蘭教有《可蘭經》。道教稱《老子》爲《道德經》，《莊子》爲《南華眞經》，《列子》爲《沖虛至德眞經》。

《史記·孔子世家》說孔子讀《易》韋編三絕。《抱朴子·外篇·勖學第三》也有這一說法。

在考古發掘中，無論竹簡木札或帛書，只有用絲線和麻織物把竹簡、木札編綴成册的殘迹。「經」本是絲織之名，是否因以絲織物裝成册而給以「經」名，前人多主此說，但也難以肯定，因爲用絲、麻織物把竹簡、木札編綴成册的不止「經書」。

把「儒家」書籍說成「經」的，開始見於《莊子·天運篇》：「孔子謂老聃曰：『丘治《詩》、《書》、《禮》、《樂》、《易》、《春秋》六經，自以爲久矣』」。似乎「六經」之名，是孔子自己所說。如果這說可信，甚至「六經」之名，孔子以前早已有之，他才能說我研究這「六經」。可惜的是《莊子》這部書，自己也說「寓言十九」①，不盡可信。但總可以證明，在戰國時，儒家已有「六經」。《莊子·天下篇》更進一步說：「《詩》以道志，《書》以道事，《禮》以道行，《樂》以道和，《易》以道陰陽，《春秋》以道名分。其數散於天下而設於中國者，百家之學時或稱而道之。」這幾句話意思是：「《詩》表達思想感情，《書》記述歷史，《禮》講的是應對進退、周旋揖讓，《樂》講的是聲音和諧，《易》講的是陰陽，《春秋》講的是君臣上下。這種道術分布在四方而在諸侯各國中有所表現和設施的，各家各派有時有人稱道它。」這樣一說，「六經」不但是儒家所專有，而且它是以後「百家爭鳴」的學術源泉。漢代尊經，據鄭玄說，「六經」的竹簡長二尺四寸②。從一九五九年七月在甘肅武威漢墓所出土的竹、木簡的《儀禮》看來，這話是可信的。

三、《十三經》的完成經過

如上所說，儒家經書，最初只有「六經」，也叫「六藝」③。到後來，《樂》亡佚了，只剩下「五經」。《樂經》可能只是曲調曲譜，或者依附「禮」，由古人「禮樂」連言推想而知之；或者依附「詩」，因爲古人唱詩，一定有音樂配合。我還猜想，無論「禮樂」的「樂」，或者「詩樂」的「樂」，到了戰國，都屬於「古樂」一類，已經不時興了。《孟子·梁惠王下》載有齊宣王的話，說：「我並不是愛好古代音樂，只是愛好一般流行樂曲罷了。」春秋末期，諸侯國的君主或者使者互相訪問，已經不用「詩」來表達情意或使命。戰國時期，若引用詩句，作用和引用一般古書相同，完全不同於春秋時代用「詩」來作外交手段。那麼，依附於「詩」的樂曲樂譜自然可能廢棄不用。而且根據目前已知的戰國文獻，西周以至春秋那種繁文縟節的「禮」也長時期不用，依附於「禮」的「樂」也可能失掉用場。「樂」的亡佚，或許是時代潮流的自然淘汰。《樂經》的失傳是有它的必然性，所以《漢書·藝文志》沒有《樂經》。至於東漢末年曹操從荊州得到雅樂郎杜夔，他還能記出《詩經》中四篇樂譜，我却認爲，杜夔所記出的《詩》的四篇樂譜未必是春秋以前的古樂譜。

「六經」的次序，據《莊子·天運》和〈天下〉、〈徐无鬼〉諸篇、《荀子·儒效篇》、《商君書·農戰篇》、《淮南子·泰族訓》、董仲舒《春秋繁露·玉振篇》以及《禮記·經解篇》、司馬遷《史記·儒林傳序》，都是《詩》、《書》、《禮》、《樂》、《易》、《春秋》（唯《荀子》和《商君書》沒談到《易》）。但到班固〈漢書·藝文志〉的《六藝略》，六經的次序改爲《易》、《書》、《詩》、《禮》、《樂》、《春秋》。以後許愼的《說文解字序》以至現在的《十三經》都把《易》改在第一。爲什麼到後漢時把「經書」的次序移動了呢？很可能他們認爲「經書」的編著年代有早有晚，應該早的在前，晚的在後。《易》，據說開始於伏羲畫卦，自然是最早的了，列在第一。《書》

中有〈堯典〉，比伏羲晚，列在第二。《詩》有〈商頌〉，或許是殷商的作品罷，列在第三。《禮》和《樂》相傳是周公所作，列在第四和第五。至於《春秋》，因爲魯史是經過孔子刪定的，列在第六。

無論《詩》、《書》、《禮》、《樂》、《易》、《春秋》也好，《易》、《書》、《詩》、《禮》、《樂》、《春秋》也好，統稱爲「六經」，《樂經》亡失，變爲「五經」。《後漢書·趙典傳》和《三國志·蜀志·秦宓（ㄇㄧˋ）傳》都有「七經」之名，却未舉「七經」是哪幾種，後人却有三種不同說法：(1)「六經」加《論語》；(2)東漢爲《易》、《書》、《詩》、《禮》、《春秋》、《論語》、《孝經》；(3)「五經」加《周禮》、《儀禮》。這三種說法不同，也不知道哪種說法正確。唐朝有「九經」之名，但也有不同說法：(1)《易》、《書》、《詩》、《周禮》、《儀禮》、《禮記》、《春秋》、《論語》、《孝經》；(2)《易》、《書》、《詩》、《周禮》、《儀禮》、《禮記》、《春秋左氏傳》、《公羊傳》、《穀梁傳》。宋人晁公武《郡齋讀書志》說，唐太和（唐文宗年號，公元八二七～八三五年）中，復刻「十二經，立石國學」。這「十二經」是《易》、《書》、《詩》、《周禮》、《儀禮》、《禮記》、《春秋左傳》、《公羊傳》、《穀梁傳》、《論語》、《孝經》、《爾雅》。到宋代，理學派又把《孟子》地位提高，朱熹取《禮記》中的〈中庸〉、〈大學〉兩篇，和《論語》、《孟子》相配，稱爲《四書》，自己「集注」，由此《孟子》也進入「經」的行列，就成了「十三經」。這便是《十三經》成立的大致過程。

《十三經》長短大不相同。長的如《春秋左氏傳》，連「經」帶「傳」，合計十九萬六千多字；其次是《禮記》，有九萬九千多字。最短的是《孝經》，僅一千八百字。《孝經》自漢朝以來，一般不用它爲科舉考試的書。唐朝科舉，沿襲隋煬帝的制度，有明經科，專考九種經書。因經書有長有短，便規定《禮記》《左傳》爲大經，《詩》《周禮》《儀禮》爲中經，《易》《書》《公羊傳》《穀梁傳》爲小經。宋朝雖然廢除了明經科，但沒有廢除以經義考士人，便以《詩》《禮》《周禮》《左傳》爲大經。

在《文史知識》上陸續刊載了關於《十三經》的介紹文字，那是以成文先後爲次序的。現在輯爲一個小册子，便改以《十三經》原來次序爲先後。

淺談「經書」，並不容易。要用通俗的語言，簡短的篇幅，介紹某一「經書」的繁複內容和來龍去脈，又要作適當的評價，並大致講講今天怎樣看待它、怎樣研究它。作者首先要對所介紹的書，有相當正確而深入的理解，詳細閱讀這部書的古今有關著作，胸中有主張，才能構思著筆。我們幾人，分工合作，都自己忖度，水平有限，很難達到廣大讀者所抱的期望。但迫於《文史知識》負責編輯的催促，於百忙中抽出時間，倉卒成篇，錯誤和遺漏自然難免。希望專家和讀者提出意見，以便修改和補充。

---

①見〈寓言篇〉。

②見《儀禮・聘禮》賈公彥《正義》引鄭玄〈論語序〉。

③見賈誼《新書・六術篇》。

《周易》

楊伯峻

第一節 《周易》本是占筮書

古代人對於自然和社會現象的客觀情況和規律極其缺乏認識，因之產生不少迷信活動。卜和筮（ㄕˋ）便是一種迷信。尤其是上層人物，什麼舉動都得先請教神靈，問問吉凶。卜用烏龜腹甲或者牛胛骨，自清代末期在河南安陽殷墟（商代首都舊址）發現大量卜辭以來，爲研究中國殷商史提供了第一手實物資料。最近在陝西扶風縣、岐山縣一帶，即西周建國前的周原地區，又發現周代卜甲、卜骨，雖然數量不多，却很有價值。用實物證明了西周在建國前，即武王滅紂以前，早就用龜甲牛骨占卜了。以後又用蓍（ㄕ）草卜卦，叫占筮。《周易》這部書，就是提供占筮者用的。《周易》就是今天的《易經》，又簡稱《易》。

蓍草就是民間通稱的蚰蜒草或者鋸齒草，用它的莖作占筮工具。大概用蓍草莖五十根，又抽去一根，得四十九根，分別數它們的數目，把它們分爲幾份，這叫做「揲」（ㄕㄜˊ），然後成卦。要揲好幾次，由原先的卦再看它又變成什麼卦，最後參考占筮書，來預測吉凶。

傳說占筮書有好多種，從《左傳》和《國語》這種春秋史書來考察，一般用的是《周易》。也有一些不見今本《周易》的語句，或許用的是《周易》以外的占筮書。至於《周禮・春官・大（太）卜》所說的《連山》、《歸藏》二種占卦書，誰也沒有見到過，《北堂書鈔》一〇一卷引桓譚《新論》說：「《厲山》（即《連山》）藏於蘭臺，《歸藏》藏於太卜。」但劉向、劉歆父子校讎中秘書，班固著《漢書・藝文志》，不加著錄，桓譚當時僅僅一小官，怎麼能看到？還說什麼「《連山》八萬言，《歸藏》四千三百言」①，我認爲難以相信。現存《連山》《歸藏》是假貨，就不必說它了。

第二節 《周易》內容

《周易》最基本的東西是「陰」「陽」兩個符號，「一」是「陽」，「--」是「陰」。由這兩個符號，連疊三層，組成八卦：☰（乾）、☷（坤）、☵（坎）、☳（震）、☴（巽）、☲（離）、☶（艮）、☱（兌）。這八個卦，互相重疊，又組成六十四卦。六十四卦中，每卦六爻（一ㄠ），從下往上數，第一爻叫「初」爻，第二、三、四、五爻仍用「二」「三」「四」「五」爲名，最上一爻叫「上」爻。那一爻若是陽爻「一」，便叫「九」；陰爻「--」，便叫「六」。初爻叫「初九」或「初六」，最上一爻叫「上九」或「上六」。其餘的便是「九二」或「六二」，「九三」或「六三」、「九四」「六四」，「九五」「六五」。每卦有卦辭，每爻有爻辭。六十四卦的卦辭和三百八十六爻的（本三百八十四爻，再加上〈乾・用九〉、〈坤・用六〉二條爻辭）爻辭，是《周易》「經」的部份。又分為上、下兩篇，上篇三十卦，下篇三十四卦。

《周易》有「經」，自然有「傳」。《易傳》有七個部份，十篇，所以叫做「十翼」，意思說這十篇文字是「經」的羽翼。《十翼》七種十篇是：

一、〈彖（ㄊㄨㄢˋ）傳〉，解釋六十四卦的卦名、卦義和〈卦辭〉的，分上、下兩篇。彖即斷也，斷定一爻之義。

二、〈象傳〉，解釋六十四卦的卦名、卦義和〈爻辭〉的，也分上、下兩篇。

三、〈文言〉，只解釋〈乾〉〈坤〉二卦的卦辭和爻辭。

以上三種，本來是和「經」分離各自單獨為篇的，後人因為它和「經」文關係較為密切，便附在各有關「經」文之下。「經」分為上、下，因此〈彖傳〉、〈象傳〉也分為上、下。〈文言〉，只各附於〈乾〉、〈坤〉兩卦〈象傳〉之後，這兩卦都在上篇，不能再分為上下了。

四、〈繫辭〉，它是《易經》的通論，內容比較龐雜，篇幅也較長，所以也分為上、下兩篇。

五、〈說卦〉，主要記述乾、坤、震、巽（ㄒㄩㄣˋ）、坎、離、艮（ㄍㄣˋ）、兌八卦（這八卦也叫「八經卦」，因為是由它組成六十四卦的。六十四卦，經過「經卦」的重疊，又叫「別卦」）所象的事物，〈說卦〉說：「乾為天，坤為地，震為雷，巽為風，坎為水，離為火，艮為山，兌為澤。」這是原始卦象。〈說卦〉又加引申，一個卦可以代表多種事物。

六、〈序卦〉，解說六十四卦的順序。

七、〈雜卦〉，解說六十四卦的卦義，卻不依照六十四卦的順序，錯雜解釋，所以叫「雜卦」。

以上四種各自獨立爲篇，列於「經」文之後。本來「經」自「經」，「傳」自「傳」，今本《周易》把〈彖傳〉〈象傳〉〈文言〉各附於相關「經」文之後，而把〈繫辭〉以下四篇列在「經」後。有人說，這是由西漢《易》學者費直幹的，初見於唐顏師古《漢書·藝文志·注》；又有人說，開始於東漢末的鄭玄，見於《三國志·魏書·高貴鄉公傳》。因爲《三國志》是晋人陳壽所著，在唐以前，應該相信它。

第三節 《周易》「經」的寫作時代

依上節所敍，《周易》先得畫卦，然後重卦，才能有〈卦辭〉和〈爻辭〉。誰畫的卦？誰重的卦？傳統說法是伏羲氏、神農氏，這當然不可信。伏羲、神農這類人，只是戰國以後傳說中的人物。但畫卦、重卦必然在作卦辭、爻辭之先，現在沒有確鑿資料得據以推論是誰所爲，只好存而不論。

從〈卦辭〉、〈爻辭〉看，〈卦辭〉〈爻辭〉作於西周初年。因爲它所載的內容，有殷商祖先的故事，也有周代初年的史事，却沒有夾雜後代的任何色彩。

一、〈豐·初九爻辭〉說：「雖旬無咎。」意思是「縱是十天，不會有禍害」。這個「旬」字，是從殷商承襲下來的，甲骨卜辭有大量「卜旬」記載，到西周中葉以後便不大有人知道了。

二、〈大壯·六五爻辭〉：「喪羊於易。」〈旅·上九爻辭〉：「喪牛於易」。「易」是地名，在易地喪失了牛羊，這是殷商祖先王亥的故事，從前人們都不清楚，自卜辭大量被發現，經王國維仔細研究，才從若干古書結合卜辭鈎稽出來。〈爻辭〉用了這個故事，可見它寫作時代的早。

三、〈既濟・九三爻辭〉：「高宗伐鬼方，三年克之。」〈未濟・九四爻辭〉：「震用伐鬼方，三年有賞於大國。」這二處都講到高宗伐鬼方，是殷商的歷史。

四、〈泰・六五爻辭〉和〈歸妹・六五爻辭〉都說「帝乙歸妹」。帝乙是商紂的父親，「歸妹」意思是「嫁女」，帝乙把少女嫁給文王，可以和《詩・大雅・大明》互相印證和補充。

五、〈晉・爻辭〉：「康侯用錫馬蕃庶。」這是說武王之帝康叔被封於衛，飼養周王朝所賞賜的馬，日益繁衍。

六、〈升・六四爻辭〉：「王用亨（享）於岐山。」〈隨・上六爻辭〉：「王用亨於西山。」這兩個「王」字，都是指周文王。周文王在生前已稱爲文王，王國維有考證，更得到周原卜辭的實證。

七、〈既濟・九五爻辭〉：「東鄰殺牛，不如西鄰之禴（ㄩㄝˋ）祭，實受其福。」「東鄰」指殷商，「西鄰」周王國自指。殺牛祭鬼神，可說恭敬了。禴祭僅用飯菜，不殺牲。殷紂雖殺牛以祭，不如周文王的薄祭，鬼神反而使他受福。

另外還有不少故事，因爲情況後來失傳，現今很難搞明白，暫且不談。從上面所述，最早有殷商祖先喪牛羊於易的故事，其次有高宗伐鬼方以及帝乙嫁女的史事，又有卜旬的風氣，最晚的故事是衛康叔飼養馬羣，那是周朝已滅紂統一天下了。〈卦辭〉〈爻辭〉沒有後來盛傳堯、舜禪讓的事，沒有講商湯、周武王「革命」的話，沒有講封（皇帝登泰山祭祀）禪（祭祀泰山南的梁父山），沒有講觀象制器（見《易·繫辭》），這些都是春秋、戰國時盛行的傳說，而在〈卦辭〉〈爻辭〉中不見半點影子，足以說明〈卦辭〉〈爻辭〉寫作較早。〈繫辭〉下說：「《易》之興也，其當殷之末世、周之盛耶？當文王與紂之時耶？」懷疑〈卦辭〉〈爻辭〉作於周文王之世，但從「康侯用錫馬蕃庶」這一條看，自在文王以後，許多研究《周易》的人大多認爲〈卦辭〉〈爻辭〉是西周初的作品。

第四節　古人如何用《周易》占筮

從《左傳》《國語》諸書看，古人用《周易》占筮，並不拘泥於所占得的〈卦辭〉或〈爻辭〉；就是說，《周易》說「吉」未必吉，說「凶」未必凶。却能結合占筮者的當時情況，以人事來作近乎合理的判斷。後代有些「算命」「看相」「卜卦」的斂財者，其中有些機靈人，能從種種跡象推測出一些結果，因此被人迷信。譬如《左傳》襄公九年，魯國穆姜筮得隨卦，原文是「隨，元、亨、利、貞，無咎。」這自是吉卦。可是穆姜結合自己的行爲，認爲自己沒有「元、亨、利、貞」四種品德，尤其是不安於本位，和人私通，擾亂魯國，完全不合隨從之德，因此自己作出判斷說：「我皆無之（元、亨、利、貞四德），豈隨也哉？我則取惡，能無咎乎？必死於此，弗得出矣。」穆姜果然死於被遷移的東宮。又如魯季氏臣南蒯，要背叛季氏，先占筮，得到坤卦六五爻辭「黃裳元吉」。南蒯自認爲這是大吉大利，請教占筮專家子服惠伯。子服惠伯却說：「我曾經學習過《周易》，你這次占筮，用於盡忠和誠信的事就可以。不這樣，一定失敗。」古人認爲背叛是不忠不信，結果南蒯失敗，逃到齊國。這事見於《左傳》昭公十二年到十四年。又如據《國語．晉語四》，晉文公占筮能不能返回晉國爲君，也用《周易》，得「屯之豫」（即原文的「貞屯悔豫皆八也」，此用《左傳》術語）。占筮之官說「不吉」，司空季子却說「沒有比這卦更吉利的」。可見同一占筮，解釋竟相反。不是《周易》眞靈驗，而是解釋者是否能結合事理加以推斷。可見古人對於《周易》，能夠靈活運用。

第五節　《十翼》各篇的寫作時代

司馬遷的父親司馬談曾引〈繫辭〉稱爲《易大傳》，所以後人稱《十翼》爲《周易大傳》，相傳爲孔丘所作，那是毫無道理的。從宋代歐陽修作《易童子問》，便提出許多論點，說明是孔子以後的作品。以後研究的人越來越多，論證《十翼》不是一人所作，而且不是一時所作。各篇寫作時代不同，略略論斷於下。

一、〈彖傳〉，這篇寫得最早，它只解釋卦和〈卦辭〉，自應較其他爲早。因爲它已經解釋了〈卦辭〉，所以〈象傳〉便不再解釋〈卦辭〉，而只解釋爻和〈爻辭〉。它有不少用韻處，但〈卦辭〉〈爻辭〉與《詩經》用韻不同，而接近於《楚辭》以及《老子》、《莊子》的用韻。以時代論，近於戰國；以地域論，近於南方。

二、〈象傳〉，它的解釋有和〈彖傳〉很不一致的地方，足見它的作者不是〈彖傳〉的作者，而且很不及〈彖傳〉的作者。〈艮．象〉：「君子以思不出其位。」「君子思不出其位」是孔子學生曾參的話，見於《論語．憲問》。〈象傳〉這句話是直接襲用《論語》，可見〈象傳〉之作在

《論語》流行以後。但又在《禮記・深衣》以前，因〈深衣〉曾說：「故《易》曰：『六二之動，直以方也。』」「六二之動」二句，正是〈坤・六二爻辭〉下的〈象傳〉。由此可以推斷〈象傳〉很有可能是戰國中到晚期作品。

三、〈文言〉曾經抄錄《左傳・襄公九年》魯穆姜解釋〈隨・卦辭〉「元亨利貞」四個字，自然著筆在《左傳》流行以後，最早也不過戰國晚期。

四、〈繫辭〉中有些話曾被漢初人所引用。如「二人同心，其利斷金」，陸賈引入《新語・辨惑篇》；「天垂象，見吉凶」，又引入《新語・明誡篇》。司馬談引「天下同歸而殊途」，見《史記・司馬遷自序》。「負也者，小人之事也；乘也者，君子之器也。」爲董仲舒對策所用，見《漢書・董仲舒傳》。「易簡而天下之理得矣」，爲《韓詩外傳》卷三所徵引。足見〈繫辭〉作於西漢以前。而且〈繫辭〉開始「天尊地卑」二十二句，《禮記・樂記》也有大同小異的語句，是〈繫辭〉用〈樂記〉，還是〈樂記〉用〈繫辭〉，難以肯定。而從文從理順看，〈樂記〉抄襲〈繫辭〉的可能性大。那麼，〈繫辭〉更作於〈樂記〉之前，至遲當爲戰國晚期的作品。有人說，〈繫辭〉不作於一人一時，係拼湊而成的，「觀象制器」一段有抄襲《淮南子》的嫌疑。這種話，目前只能存疑。

五、〈說卦〉、〈序卦〉、〈雜卦〉三篇，寫作更晚。三篇之中，〈說卦〉很可能較早。總之三篇或許在漢初，或許晚到漢宣帝。

第六節　怎樣看待《周易》

《周易》本是占筮書，猶如近代的《牙牌神數》之類的書。牙牌神數是用三十二張骨牙牌或者木製牌占卜的。假如你得了個「上上，上上，下下」，自然是先吉後凶，打開《牙牌神數》便看到四句話：「七十二戰，戰無不勝，忽聞楚歌，一敗塗地。」這是用項羽敗於垓下，自刎烏江的故事作譬，容易懂。而《周易．卦爻辭》，作於周初，便不好懂。不僅我們今天隔〈卦爻辭〉的寫作大概三千年，很難透徹了解它，就是只隔幾個世紀的春秋時代，也有時誤解《周易》原文。譬如《周易．隨．卦辭》「元亨，利貞」，經我們對〈卦爻辭〉本身的排比歸納的研究，加以甲骨卜辭的證明，毫無疑問地應該把「元亨」作一讀，意思等於「大吉」；「利貞」作一讀，「貞」是「卜問」之義②，「利貞」，可以釋爲有利於占筮或占筮者。但在公元前五六四年，即《左傳》魯襄公九年，載魯國的穆姜被迫遷居東宮時，得「艮之隨」（由艮卦變成隨卦），穆姜便把「元、亨、利、貞」四個字拆開，一個字一個字講解，說：「腦袋是軀體的最高處，亨宴是賓主的盛會，利是義的總和的體現，堅貞信實是作事的骨幹。」把「元」讀爲「狄人歸其元」「勇士不忘喪其元」「元首」的「元」；把「亨」讀爲「享」，享宴之意；把「貞」解爲「堅貞」、「貞信」，都離開原義很遠。《十翼》有很多是戰國時作品，但也不很理解〈卦辭〉〈爻辭〉。以〈象傳〉而論，有的解釋等於沒解釋，簡直是交白卷。如〈復．六三爻辭〉：「頻復，厲，無咎。」〈象傳〉說：「頻復之厲，義無咎也。」只是照抄原文，加了三個字，三個字中還有「之」「也」兩個虛詞，這豈不是說了等於沒說。這類例子很多。〈文言〉又把穆姜「元者，善之長也；亨者，嘉之會也；利者，義之和也；貞者，事之幹也」等等的話照抄一遍，不是也對「元亨利貞」加以誤解嗎？總之，〈卦辭〉〈爻辭〉的正確解釋應在〈卦爻辭〉本身去求，《十翼》，除〈彖傳〉較可參考以外，其餘多半是其作者一人之私言，並不完全足以作《周易》經文的正確解說。

孔子讀過《周易》，《史記·孔子世家》說他研讀《易》，把連綴簡册的柔牛皮條都弄斷了好多次，可見他研讀的勤快。《論語·述而篇》引孔子的話：「五十以學《易》，可以無大過矣。」孔子還說過：「五十而知天命」③，自和他學《易》有關。還引《周易·恒·九三爻辭》「不恒其德，或承之羞」，這句話意思是：「三心二意，翻雲覆雨，總有人會招致羞恥。」孔子於是說：「這是叫無恒之人不要占卜罷了④」。由此可見，孔子把《周易》看成一部哲學書，並不曾看成一部占筮書。

漢朝人解釋《周易》，離不開「象」和「數」。「象」有二種，一是卦象，包括卦位，如《左傳·昭公五年》敍述魯叔孫穆子初生時，穆莊叔用《周易》給他占筮，得「明夷䷣（離下坤上）之謙䷎（艮下坤上）。」卜楚邱有這樣的話：「離，火也；艮，山也。離爲火，火焚山，山敗。」「離火，艮山」，這是卦象。又如《左傳·僖公十五年》秦穆公征伐晋惠公，秦國卜徒父筮之，得蠱卦䷑（巽下艮上），說「蠱之貞，風也；其悔，山也。」內卦（下體）叫貞，外卦（上體）叫悔，這是占筮術語。所謂「貞」和「悔」便是卦位，「山」和「風」便是卦象。「象」的另一意義是爻象，就是陽爻和陰爻所象的事物，可不再舉例了。「數」的意義，一是陰陽數，奇數是陽數，如乾卦「☰」三畫爲陽卦，坤卦 六「☷」畫爲陰卦。

以爻數論因爲「一」是一畫，所以叫陽爻；「--」有二畫，所以是陰爻。又以爻位論，以爻的位次論，初爻、第三爻、第五爻，若是陽爻「一」叫「當位」，二、四、上（六）爻若是陰爻「--」，也「當位」。不然是「不當位」。總之，奇數爲陽，偶數爲陰；陽位當陽爻，陰位當陰爻，說這是正常（或者「合理」）情況。這不過是個大概。又有講「爻辰」的，就是用陽爻和陰爻配合子、丑等十二時辰來論斷吉凶。還有講「互體」的，即在六十四別卦中，二到四爻，三到五爻兩體相交，各成一卦。講「象數」的，大體還和《國語》、《左傳》所敍相近，講「互體」、「爻辰」的，便疏遠了。到三國魏末，王弼注釋《易》，開「玄學」之風，掃除術數（即上述「象數」「互體」「爻辰」之類），便把《周易》之爲占筮書變爲哲學書。宋朝道士陳摶又創爲「先天」、「後天」、「太極」、《河圖》、《洛書》之說，把《周易》變爲方士書。還有不少五花八門講《易》的書，我認爲對研究《周易》都價值不大。

《周易》本是占筮書，應該還他本來面目，無妨仍把它看成古代占筮書。這是古人迷信，但我們可以利用它來探討古人的歷史、風俗和古文字以及《周易》經文的歷代變化情況。譬如「喪羊、牛於易」的故事，出於殷商祖先王亥，由《周易》得到印證；帝乙歸妹，可以和《詩·大明》相證。還有許多故事，如〈同人·九三爻辭〉「伏戎於莽，升其高陵」、〈坎·上六爻辭〉「係用徽纆（ㄇㄛˋ）、寘（ㄓˋ）於叢棘」、〈明夷·九三爻辭〉「明夷於南狩，得其大首」、〈睽·上九爻辭〉「見豕負塗，載鬼一車」、〈離·九三爻辭〉「不鼓缶而歌」這些篇章裏面，一定都有故事，可惜現今無從究詰。尤其是〈益·六四爻辭〉「中行告公從」，「中行」究竟是什麼意義，郭沫若同志甚至據此把〈爻辭〉之作推遲到「中行氏」（晉國大族）時代以後，雖然難信，但「中行」的準確意義，至今難定。研究《周易》的人，成書的，古今不下三、四千人，固然有不少可取之處，但把它全部搞通，至今還沒有看到一種比較滿意之作。由此足見，其中有許多空白點有待今後塡補。好在地下出土材料會日益豐富，現代人的頭腦，科學性和邏輯性比古人都强得多，結合甲骨卜辭，鐘鼎彝器銘文、秦漢竹簡木牘和帛書，定能取得突破前人的成績。可惜西晋初年由魏襄王墓所得的《易經》二篇，我們已經看不到。我們能看到的是近年從長沙馬王堆三號漢墓所出土的帛書《易經》殘本，六十四卦卦名和今本相同，而字形不同，如「乾」作「鍵」、「否」作「婦」，論古音，相近和相同。但八經卦和六十四別卦次第和今本大不一樣，可見古代《易經》有幾種本子。據《漢書·藝文志》，漢代國學（大學）立博士教授《易》的有施、孟、梁丘三家，民間又流行費、高二家，另外還有《服氏》、《楊氏》、《蔡氏》、《韓氏》、《王氏》、《丁氏》、《古五子》各種《易》，各有各的本子和講法，我們已經無法知其詳情，只得存而不論。

《十翼》有少數一部分可以幫助了解《周易》的「經文」，尤其是〈彖傳〉，其次是〈象傳〉。至於〈文言〉、〈繫辭〉以下諸篇，合於「經文」原意的不多，但無妨認爲是某家之言，當做當時一家學說的材料來研究。

現在流行解說《易》的書很多。如《十三經注釋》中的王弼《周易注》，無妨當作魏晋玄學史料來看。當時把《易》、《老子》、《莊子》叫作「三玄」，可見他們對《易》的態度。

唐人李鼎祚有《周易集解》，博採漢魏以來三十五家之說，雖然不完全，一鱗一爪，也可以窺得一斑，藉以推測各家的大致情況。

清代焦循研究《周易》一共四十年，其中十多年幾乎摒絕人事慶賀哀弔的俗事，專心致志於《周易》通例的研究，成《雕菰樓易學五書》（《易章句》《通釋》《圖略》《易話》《易廣記》）。王引之恭維他能「鑿破混沌，掃除雲霧」。但究竟還是破綻時出，沒有能達到原來的抱負。焦氏書很有名，但難讀，後人能了解它的也極少。

近人楊樹達有《周易古義》，一九二九年中華書局出版。備採三國以前徵引《周易》的材料，由此可以知道古人是如何講解和利用《周易》的。

近人李鏡池有《周易探源》，不是從頭到尾解釋《易經》本書，而是分作若干專題作研究論文。作者於《周易》用功很勤，有些可貴的意見，值得一讀。

近人高亨有《周易古經今注》、《周易大傳今注》，有正確意見，也有錯誤說法，無妨用作參考書。

還有一位尚秉和，研究《易經》多年，近年中華書局出版了他的《周易尚氏學》，用《易林》來詮釋《周易》，可惜作者雖死在解放後（一八七〇——一九五〇），頭腦仍缺乏科學性。《易林》，尚秉和還用舊說題爲焦延壽所作，實則此書有漢昭帝、宣帝以後的故事，古人早就懷疑，近人論定它是東漢人所作。以東漢之著作解釋《周易》，而且把卦象擴充運用至於無所節制，未必合於《周易》原意。這本書既不是一般人所能讀懂，就是費大力讀懂它，也未必可信，置之可也。

①《太平御覽》六〇八卷引。

②《說文解字》。

③《論語·爲政》。

④《論語·子路》。

〔作者簡介〕

楊伯峻，湖南長沙市人，一九〇九年生。現任中華書局編審、北京大學歷史系兼任教授、國家文物局諮詢委員、國務院古籍整理出版規劃小組顧問。主要著作有：《列子集釋》、《文言語法》、《論語譯注》、《孟子譯注》、《春秋左傳注》、《古漢語虛詞》等。

《尚書》

劉起釪

第一節　從《書》到《書經》

我國有一部最古的史書，叫做《尚書》，它是屬於最早的幾個王朝夏商周等的歷史文獻滙編。「尚」是上代的意思，「書」是歷史簡册，用現代的話說，《尚書》就是「上古的史書」。但兩千年來儒家却把它作爲儒經中最重要的一部經典，尊稱爲《書經》。而這部《書經》却有一半是假的，那是晋代出現的「僞古文」各篇；只有一半是眞的，即漢代傳下的「今文」各篇。

這一半眞的「今文」，主要是商周兩代統治者的講話記錄。不過商代的幾篇在流傳中受周代語言文字的影響，經過加工，有些篇是到周代才由商的後裔宋國人寫定的。另有關於虞夏的四篇，其中最簡短的〈甘誓〉，可能是夏代作爲口耳相傳的重要祖訓傳下來，到商代寫成文字，到周代重新加以寫定的。其餘三篇當是戰國時根據一些古代所傳資料及神話傳說等加工編造成的。只有西周幾篇才是保存下來的當時的原有文獻。

這些眞文獻原來只稱《書》，是經常跟在統治者左右的史官記下來的。當時左右的史官分別用竹簡記「言」和記「事」。記「言」，就成爲上面所說的統治者的講話記錄，保存下來的就是《尚書》；記「事」，就成爲編年大事記，保存下來的就是《春秋》，後來還發現了《竹書紀年》。《尚書．多士》記周滅商後，商遺民不服，周公就對他們說：「惟爾知，惟殷先人，有册有典，殷革夏命」。是說商的上代傳下來的典册（即竹簡，「典」是放在架上的竹簡，「册」是繩子編連著的竹簡）裡，記載著商湯革掉夏命的事，說明周革商命，是有你們祖宗的先例可援的，你們也就用不著怨恨周人了。由這就可知商代史官的記載到周初還存在。《墨子．貴義》說：「昔者周公旦朝讀《書》百篇」，說明當時存在的《書》確實還不少，周公掌握了它們，所以很熟悉商代史事。

但是由於竹簡容易毁壞，經過二三百年後就無法保存下去，這只要看傳下來的《春秋》就知道了。《春秋》本是魯國的編年史記，當然應從魯國第一位國君伯禽開始。可是傳下來的《春秋》却從伯禽以後的第十四位國君隱公開始，就是因爲魯隱公以前的竹簡，在魯哀公以後整理時已毁壞了。即使是隱公以後的也斷爛了不少，例如〈桓公十四年〉云：「夏，五」，〈莊公廿四年〉云：「冬，郭公」，這顯然是殘缺的結果。可見古代史官雖然記下了大量史書，却又遭到了大量的毁壞。加上統治者有意的破壞，如《孟子．萬章下》所說：「諸侯惡其害己也而皆去其籍」。《史記．六國表》所說：「秦旣得意，燒天下詩書，諸侯史記尤甚」。有了這些情況，就使古代歷史文獻受到很大摧殘，能傳下來的就很少了。

到戰國時代，百家爭鳴，是我國古代學術繁榮時期，各家都鼓吹自己的學說，儘量拿往古的歷史來做論證，因而都設法搜集古代文獻史料，於是百不存一的古代的《書》，也就被先秦學者搜集了一些。當時引用《書》的次數最多的是《左傳》，共達五十多次，所引到的篇名有十八篇，而《墨子》引到的達二十二篇，其餘儒、法、雜等百家及一些史書都紛紛引用，除了泛稱《書》的以外，所引到的篇名合計達四十餘篇，其中三十餘篇是現存《尚書》中所沒有的，可以知道這些戰國人讀過的《書》，後來又失傳了。而傳到漢代的二十八篇中，先秦諸子沒有引用的也有十四篇。可知在戰國時《書》的存在情況頗紛歧。就是戰國人所引的各篇，彼此的出入也很大，例如儒家的《書》中有〈甘誓〉，《墨子．明鬼》下也有，兩者中心內容完全相同，但文句有很大歧異。又即使墨學一家所引同一篇書，也互有紛歧。例如《墨子．非命上、中、下》三篇都引《仲虺（ㄏㄨㄟˇ）之誥》，文字却各有出入；又〈天志中〉及〈非命上、中、下〉都引〈太誓〉，文字也各有不同，當然與儒家《孟子》及《左傳》引的更有出入。這是由於竹簡在流傳中容易造成損壞斷爛，更因各家傳抄，又容易有錯亂脫誤，以致造成了這許多紛歧現象。

更有一情況是，戰國時各家利用舊文獻，只是要求爲自己的學說服務，如果原有適合自己的，他自然正好利用；如果沒有完全適合的，他們可以改造，甚或索性自己來編造。《韓非子．顯學》說：「孔子、墨子俱道堯、舜，而取捨不同，皆自謂眞堯、舜。堯、舜不復生，將誰使定儒、墨之誠乎？」正說明了這種情況。所以儒家就編造了作爲虞夏時代的〈堯典〉、〈皋陶謨〉、〈禹貢〉等篇。前兩篇就是儒家把自己的政治理想作爲古代固有的歷史提出；後一篇〈禹貢〉原是戰國之世走向統一前夕的總結性的地理記載，是兩千多年前的地理學家關於亞洲東部地理的一部科學傑作，可是儒家卻拿它來作了大禹時代的作品，把禹美化為繼堯舜後的一個聖王。把這三篇和〈甘誓〉同商、周兩代的《書》配起來，儒家的古史系統就結構完備了，他們宣傳自己的主張就有本本做憑據了。

大抵在戰國時，儒、墨等學派手中都有《書》，而且還按王朝滙編成了〈夏書〉、〈商書〉、〈周書〉。不過在戰國時還沒有〈虞書〉一詞，《左傳·文公十八年》出現過一次，顧炎武《日知錄》已辨其非；又還沒有《尙書》一詞，《墨子·明鬼下》曾出現過一次，王念孫《讀書雜志》已校訂為「尙者」之誤。《尙書》這一書名，是漢代今文家提出的。

戰國時儒家的課程原是「詩、書、禮、樂」四項，《禮》、《樂》只是他們經常在講堂外排練的實習課，因此講堂上的課本只有《詩》、《書》兩種。可以說《詩》是他們的文學課本，《書》是他們的歷史課本。由於儒家的教育宣傳影響大，《詩》、《書》就成了當時士大夫的兩本典型讀物，〈商君書〉提出要秦國禁絕的也就是這兩種。但到孟子、荀子時的儒家課程中加上了《春秋》，成為五種；到《禮記·經解》中又加上占卜用的《易》，成為六種，合稱「六藝」①。因為古時「樂」的譜子無法寫成本本傳下來，所以到漢代只有《詩》、《書》、《禮》、《易》、《春秋》五種，作為「五經」。這部原來的古史文獻《尙書》，便成為儒家所宣揚的「二帝」（堯、舜）、「三王」（夏禹、商湯、周文武）及周公、孔子修身、齊家、治國、平天下的煌煌聖典，尊為《書經》。儒家所倡導的「道統」就靠這部《書經》堅實地樹立下來，成了兩千年間統治中國人民的主導思想。

第二節《今文尚書》、《古文尚書》和《僞古文尚書》

漢代的這部經書，是由秦博士伏生藏在屋壁裡躲過秦的焚書和楚漢戰亂才傳下來的。他從屋壁裡取出時，竹簡又斷爛了不少，經過拼湊整理，只存得下列二十八篇：

〈虞書〉、〈夏書〉：〈堯典〉、〈皋陶謨〉、〈禹貢〉、〈甘誓〉。

〈商書〉：〈湯誓〉、〈盤庚〉、〈高宗肜（ㄖㄨㄥˊ）日〉、〈西伯戡黎〉、〈微子〉。

〈周書〉：〈牧誓〉、〈洪範〉、〈金縢〉、〈大誥〉、〈康誥〉、〈酒誥〉、〈梓材〉、〈召誥〉、〈洛誥〉、〈多士〉、〈無逸〉、〈君奭（ㄕˋ）〉、〈多方〉、〈立政〉、〈顧命〉、〈呂刑〉、〈文侯之命〉、〈費（ㄅㄧˋ）誓〉、〈秦誓〉。

伏生便用這二十八篇在齊魯之間傳授門徒，門徒中經過數傳後，形成了西漢《尚書》學三家：歐陽氏學，大夏侯氏學，小夏侯氏學。在漢武帝到宣帝時，先後列於學官（等於現在的大學，但在王朝內），所教的是伏生二十八篇和武帝時民間所獻僞〈太誓〉，共二十九篇（歐陽氏把〈盤庚〉分爲三篇，共三十一篇）。伏生的本子最早應是秦朝原通行的小篆字體，後來改用了當時通行的隸書，等到西漢中後期古文本出現後，便被稱爲「今文」，意爲漢代現今用的字體，這三家便被稱爲「今文三家」。今文家原是些方士化了的儒生，他們在漢代神學「陰陽五行說」的思想指導之下解釋《尚書》，以之與讖緯之說相結合，使經學成了「神學的侍婢」。他們的說法神秘、空疏、繁雜，而又特別强調「家法」、「師法」，必須嚴格遵守。他們又强調「通經致用」，常舉一些經文做標簽，用方士式的神秘說法爲漢王朝服務。

直到漢末熹平年間，把歐陽氏本《尚書》刻入《漢石經》，作爲統一文字的官定本。

漢代又曾出現《古文尚書》。所謂「古文」，是指早於小篆的先秦和六國所用的大篆或籀（ㄓㄡˋ）文等字體。當時離先秦時間不遠，出現這種文字的本子是完全可能的。計自西漢中期開始，先後相傳出現過好幾次。第一次是《史記·儒林列傳》所說的孔子十一世孫孔安國家傳本，比今文多「逸書」十餘篇。第二次是《漢書·藝文志》所說的「中古文」，劉向用以校三家經文。第三次是《漢書·儒林傳》所說的成帝時張霸獻的「百兩篇」，即離析二十九篇爲百篇，又加這百篇的「書序」編成的兩篇。當時以中古文相校，發現它是僞造的，便被廢黜，但「百兩篇」中所載的〈書序〉却從此流傳，成了《尚書》學上影響最大的事。第四次是《漢書·楚元王傳》中劉歆〈移太常博士書〉所說的魯恭王壞孔子宅所得壁中古文，多出「逸書」十六篇（其篇名載《尚書·堯典·正義》），由孔安國獻上，劉歆請把它和其它三部古文經立於學官，遭到今文家反對，從此引起了中國學術史上兩千年之久的今古文之爭。第五次是《漢書·景十三王傳》所記東漢初年始有的傳說，謂河間獻王得到《古文尚書》。以上五個本子只有第一部孔子家傳本較確切，其餘諸本都有些撲朔迷離，又諸本只有經文，而沒有傳注。第六次是《後漢書·杜林傳》所說的杜林所得漆書古文本一卷，他整理加工，並授門徒，傳下同於今文篇目的二十九篇，沒有所謂古文「逸書」。由門徒衞宏，再傳賈逵、馬融、鄭玄等，先後都做了傳注，馬、鄭本並將〈盤庚〉、〈太誓〉各分爲三篇，〈顧命〉中分出〈康王之誥〉，共爲三十四篇。這些古文家的注，不同於今文家宣揚神學和漫無邊際的雜說，而是在尊崇「聖道王功」前提下多做文字訓詁、制度名物等的解釋，因此使《古文尚書》大顯於世，終漢之世雖沒有立於學官，却取代了今文三家的地位。後來到魏晉時，貴戚王肅做了注，終得立於學官，並在魏正始年間刻入了《三體石經》中。西晉永嘉之亂，文籍喪失，今、古文都散亡，連石經也遭破壞。司馬氏逃到江南建立東晉，仍要靠儒家思想維持統治，又廣求經典。豫章內史梅賾（ㄗㄜˊ）獻了一部《古文尚書》，計有經文五十八篇，其中包括西漢今文二十八篇，但把它析成三十三篇（分〈堯典〉下半爲〈舜典〉，〈皐陶謨〉下半爲〈益稷〉，〈顧命〉下半爲〈康王之誥〉，〈盤庚〉仍分三篇）。又從百篇〈書序〉中採十八個篇題，從當時有的一些古籍中搜集文句綴成二十二篇（十八篇中〈太甲〉、〈說（ㄩㄝˋ）命〉各作三篇），另新撰〈太誓〉三篇，這就是僞古文二十五篇，用此來湊成劉向、鄭玄所說的古文五十八篇之數。全書各篇有標爲「孔安國傳」的注，並有一篇〈孔安國序〉。但從《史記》、《漢書》看，孔安國並沒有做過這些東西，又二十五篇與劉歆所舉孔安國逸書十六篇的篇題也不一致，它的破綻顯然存在。但它積聚了八百年來人們所稱引的《尚書》和四百年來今古文經師的解說，加以章櫛句比，做到每句都有解釋，這在《尚書》學上是一個很高的成就，因此人們樂於接受；加上王朝的提倡，於是就盛行於世，一直傳下來，被人們看成是漢代孔安國所傳的眞古文。

到唐代，命孔穎達撰《五經正義》，從此《尚書》就以這部《孔傳》作正注，孔穎達撰的《正義》作疏，成爲官定本頒行全國，其經文並刻入《唐石經》中。宋代把《孔傳》和《正義》合刻成《尚書注疏》，明清時滙刻在《十三經注疏》中。

到宋代，有了與漢學不同的學術思想，經過吳棫（ㄩˋ）、朱熹等人的探索，由蔡沈總括兩百年間探索成果，撰成《書集傳》一書，明清時刻在《五經大全》或《監本五經》等《五經》中。

它是宋學的代表作，與《尙書注疏》分別代表了《尙書》學史上的兩個時代。此後它就成了科學法定本，元中葉以後民間鄉塾中都只讀它。

既然是僞書，不論怎樣被推崇爲神聖的經典，遲早總要被人識破。所以唐代就開始有人懷疑它，宋代吳棫正式提出了考辨，以後遞經明梅鷟、清閻若璩、惠棟等人進行了嚴密考證，最後判定這部書是「僞古文尙書」，〈孔安國傳〉是「僞孔傳」，這一本子是「僞孔本」。但僞孔本中保存了今文二十八篇，它們是商周文獻的孑遺，仍是今天研究古史的珍貴史料。

第三節　清代及近世學者對《尙書》的研究

這些珍貴史料的最大的問題是艱澀難懂。因爲它主要是三千多年前岐周地區一個民族的方言，早成了死文字，戰國時人就只引用少數好懂的句子。到漢代更難懂，司馬遷就只把一些能懂的抄到《史記》裡，而對於一些明明是重要史料的「殷盤周誥」，只因它不好懂，就都一筆帶過。加以後來又有脫簡、錯簡，今文三家及古文僞古文各有傳抄錯誤，到唐代改寫成楷書時又有改錯，就使此書非常難讀，因此韓愈以「佶屈聱牙」作爲此書的特點。幸喜自清代中葉的學者開始用文籍考辨之學去研究它，至今已二百餘年，留下了不少有價值的成果。如段玉裁、王念孫父子、俞樾、吳大澂、孫詒讓及皮錫瑞、章炳麟等，都有很好的研究。還有江聲、王鳴盛、孫星衍、陳喬樅等搜集的資料亦有參考價值。近代又在清人成就的基礎上，加上西方學術影響，以及甲骨文、金文研究的成熟，新材料的增多，把《尙書》研究推進到一個新的階段。如王國維、楊樹達、郭沫若、陳夢家及于省吾、胡厚宣、徐中舒諸先生等，皆有新成就。顧頡剛先生更以極精博的功夫研究它的一個個問題，從而把《尚書》的研究推向日益深入。在經過這樣的科學整理研究之後，這部最古的歷史文獻，必將很好地應用到馬克思主義歷史科學的研究中去。

如果讀者手中有一部《尚書》，要很快就能辨別其中各篇的眞僞，以免把僞篇誤作眞材料使用，只稍知道上文所擧西漢今文二十八篇才是眞的就行。或者查看蔡沈《書集傳》，其中在篇題下注明「今文古文皆有」的，就是眞的；「今文無、古文有」就是僞的。

---

①《莊子・天下》亦列此六種，〈天運〉有了「六經」之名，然此二文不屬《莊子・內篇》，其寫成時代較晚。

〔作者簡介〕

劉起釪，湖南安化人，一九一七年生。現任中國社會科學院歷史所研究員，中國社會科學院研究生院兼任教授。早期從事史料研究工作，所輯史料匯編多種，正在江蘇陸續出版中。近二十年從事《尚書》整理及西周史研究，正在撰寫《尚書校釋譯論》一書，已發表〈釋尚書甘誓的五行與三正〉、〈洪範成書年代考〉、〈周初三監與邶鄘衞三國及衞康叔封地問題〉、〈牧誓是一篇戰爭舞蹈的誓詞〉、〈牧野之戰的年月問題〉等十餘篇；又與顧頡剛先生合作發表《尚書》的整理研究成果多篇；此外還完成了《顧頡剛先生學述》一書。

《詩經》

陰法魯

中國古代詩歌發展的過程，很清楚地說明了一個事實，即歷代的新音樂都來自民間，詩歌的起源是和音樂分不開的，它的發展也往往是和音樂分不開的。我國最早的一部詩歌總集稱爲《詩經》，所收作品上起西周初年（公元前十一世紀），下至編輯成書的春秋中期（前六世紀），前後經歷約五百年。保存到現在的作品有三百零五篇，大部分是各地的民歌，一小部分是貴族的作品。《詩經》原來稱《詩》或「詩三百」，到戰國時期莊子（約前三六九年—約前二八六年）的著作中才記載著《詩》是儒家「六經」之一。這些詩的來源、內容和影響如何？試簡單地加以討論。

第一節　「哀樂之聲感，而歌詠之聲發」

——采風和獻詩

西周和春秋時代在我國古代社會發展史上，處於封建領主制即封建農奴制階段。周天子是最大的領主，即最高的土地支配者，授土授民，層遞分封，和諸侯、卿、大夫各級領主以及無封地的士構成了統治階級，統治著廣大的農奴和奴隸。農奴和奴隸生活困苦，負擔的徭役繁重。「飢者歌其食，勞者歌其事」，音樂和詩歌也成了他們進行鬥爭的一種武器。此外，他們也用音樂詩歌反映自己的其他方面的生活和思想感情。而貴族則利用音樂詩歌來歌頌統治階級的功德，企圖加强統治。《詩經》的音樂沒有傳下來，但從和音樂相配合的歌詞中也可以看出音樂的不同的階級屬性。

古代相傳，西周王朝爲了了解社會狀況，已經有采詩獻詩的活動。這個傳說不是完全沒有根據的，否則，這些詩是怎樣集中起來的呢？當時的音樂和文學都達到相當高的成就，周王室和各諸侯國的樂師不斷地搜集並整理各地的民間音樂和詩歌，中經東周遷都（前七七〇年），進入春秋時期，社會日益動盪，但這項事業並未中斷。大概各國所搜集的作品，除在當地保存采用外，也送獻給周王室，由王室樂官保管整理並演奏，成爲「周樂」的主要來源。又古書中關於公卿列士獻詩的記載，基本上也應當是可信的。《詩經》中的〈頌〉都是對貴族歌功頌德的作品，〈大、小雅〉中也有一些歌功頌德或諷諫規勸的作品，而且還有留下作者的名字的。這些就是公卿列士奉獻或寫作的詩。

魯國是周公姬旦的世襲封地，一直保存著一套周樂。《左傳》記載，魯襄公二十九年（前五四四年），吳國的公子季札訪問魯國，「請觀周樂」，演奏的內容大致和今本《詩經》相同。這個故事基本上是可信的，細節未免失之浮誇。孔子（前五五一年—前四七九年）幾次提到「詩三百」。可見在孔子之前，《詩經》的規模已大致定型，這是經過長期流傳整理所保留下來的成果，並不是孔子刪詩的結果。但孔子是整理過《詩經》的。他說，他從衛國返回魯國（事在前四八四年），「然後樂正，〈雅〉、〈頌〉各得其所」。可見在這時以前，〈雅〉、〈頌〉曾出現混亂情況。孔子整理的底本大概是魯國樂官所保存使用的底本，整理工作也許是他和魯國樂官太師摯合作進行的。

當時能演奏許多國家的樂曲的，不止魯國一國。一九七八年在湖北隨縣曾侯乙墓中發現的銅編鐘上的銘文就記載著曾國和楚、齊、晉、周、申等國各種樂律名、音階名、變化音名之間的對照關係，可見這是爲了演奏各地樂曲用的。曾是個諸侯小國，曾侯乙死於戰國初年（前四三三年後不久），由此時往上推到春秋時期，由這個小國推到大國，季札在魯國觀周樂的故事是可以理解的。各地的地方音樂已經長期地在互相傳播著，當然不一定都能全部演奏「三百篇」。

今本《詩經》中的作品，分爲〈風〉、〈雅〉、〈頌〉三大類。〈風〉也稱〈國風〉，包括周南、召（ㄕㄠˋ）南（南至江漢流域），邶、鄘、衛、王（今洛陽地區）、鄭、檜、齊、魏、唐（晉）、秦、豳、陳、曹等十五個地區和國家的詩。〈雅〉分爲〈大雅〉、〈小雅〉。〈頌〉分爲〈周頌〉、〈魯頌〉和〈商頌〉。作品產生的地區，分布在今黃河流域的陝西、山西、河南、山東、河北和長江流域的湖北北部。就作品產生的時間說，大體上可以這樣排列，即〈周頌〉、〈大雅〉、〈小雅〉、〈商頌〉、〈魯頌〉、〈國風〉。但各類詩篇的時代又是交叉的。

今本《詩經》的篇章文字又有錯亂殘缺，已經不是孔子的整理本，甚至也不是西漢毛亨傳本的原貌。

第二節 「洋洋乎盈耳哉」——《詩經》的音樂藝術

孔子說「師摯（太師摯）之始，〈關雎〉（《詩經》第一篇）之『亂』（在樂曲中是指樂曲末章合奏的高潮部分），洋洋乎盈耳哉！」太師摯指揮的演奏的開頭，〈關雎〉篇末尾的合奏，聲音宏大，充滿了人們的耳朵。這幾句評論反映出《詩經》在音樂上的成就。

〈風〉、〈雅〉、〈頌〉的區別，主要在音樂方面，其次在內容方面。〈風〉是各地區具有地方特點的樂歌，多半是民間歌謠，也有些貴族作品，〈雅〉大部分是貴族作品，用的都是西周都城鎬京（在今西安市西）一帶的樂調，〈小雅〉中有一小部分民間歌謠。〈頌〉是宗廟裡貴族祭神祭祖的樂歌，具有肅穆神秘的特點，這三類的區別還是很清楚的。有人看到〈大、小雅〉中有讚美祖先的詩歌，便認爲〈雅〉中也有〈頌〉，這是由於只考慮內容而忽略音樂的緣故。〈小雅〉中還有些民間歌謠，而〈國風〉中也有些貴族作品，同樣地不能說〈雅〉中有〈風〉或〈風〉中有〈雅〉。

《詩經》的音樂成就主要是勞動人民的貢獻，專業的藝人、音樂家在加工提高方面也起了作用。當時的樂譜雖然沒有傳下來，但從歌詞的形式和內容上也可以推想樂曲的結構和情調。楊蔭瀏先生把各篇的曲式歸納成十種：⑴一個曲調重複；⑵一個曲調的後面用副歌，重複；⑶一個曲調的前面用副歌，重複；⑷一個曲調重複，最後一章採用「換頭」的方式；⑸一個曲調重複，前面有引子；⑹一個曲調重複，後面有尾聲；⑺兩個曲調，各自重複，聯成一個歌曲；⑻兩個曲調交替運用，聯成一個歌曲；⑼兩個曲調不規則地重複，聯成一個歌曲；⑽一個曲調重複，前有引子，後有尾聲①。這種分析可以說明《詩經》中豐富多采的曲式。

《詩經》中保存著不少具有唱和形式的作品。這種唱和形式即領起部分和應和部分互相結合的形式，可以分爲三類②：

㈠唱和——對唱。兩方交替歌唱。⒜問答式，所用曲調不同。如〈召南·采蘋〉（節錄、下同）：

〔唱〕于以采蘋？〔和〕南澗之濱。
〔唱〕于以采藻？〔和〕于彼行潦。

⒝接續式，兩方所用曲調或相同或不同。如〈周南·芣苢（ㄈㄨˇ 一ˇ）〉：

〔唱〕采采芣苢，薄言采之。
〔和〕采采芣苢，薄言有之。

又如〈豳（ㄅㄧㄣ）風·東山〉也屬於這類唱和形式：

〔唱〕我徂東山，慆慆不歸。
我來自東，零雨其濛。
〔和〕我東曰歸，我心西悲。
制彼裳衣，勿士（事）行枚。……

唱的部分在各章中重複出現，楊蔭瀏先生在上引分類項目中稱爲「副歌」。和的部分反而成爲詩的主體。

㈡唱和——幫腔。幫腔是緊接每段、每句或全首唱詞的尾句而出現的應和部分。一般採用「一唱衆和」的形式。如〈衞風・木瓜〉：

〔唱〕投我以木瓜，報之以瓊琚。

〔和〕匪（非）報也，永以為好也。

〔唱〕投我以木桃，報之以瓊瑤。

〔和〕匪報也，永以為好也。

㈢唱和——重唱。依照別人所唱的全首歌曲重唱，歌詞或相同或不同。《詩經》中篇名不同而章句結構全同的詩，有的可能屬於同一曲調，如〈商頌〉的〈那〉和〈烈祖〉。

《詩經》中還記載著幾個大型舞蹈〈大武〉、〈大濩（ㄏㄨㄛˋ）〉和「碩人」的形象。〈大武〉是歌頌武王伐紂的樂舞。舞蹈分爲六「成」（段），各段表現了不同的情節。它們的歌詞經學者研究，認爲都保存在〈周頌〉裡，但見解有分歧。其中比較可信的有五篇，即〈酌〉屬於第一成，〈武〉屬於第二成，〈般〉屬於第三成，〈賚〉屬於第四成，第五成未成，〈桓〉屬於第六成③。各篇都另立了篇名。是〈大武〉一篇分裂而爲六篇呢？還是由本來各自獨立的六個小型舞蹈組合而成爲〈大武〉呢？現在還難以判斷。但六段的情節不同，而已考定的五篇歌詞的內容和格式也不同，這就可以推斷這六段的曲式也是不同的，這六段所組成的〈大武〉是一首結構比較複雜的大曲。

〈商頌〉是春秋時代宋國（商族後裔）宗廟中祭祖的樂歌，其中很可能保留著商族世代相傳的祭祖樂歌的一些片斷。文獻記載，〈大濩〉是歌頌商湯的舞蹈，不知起於何時。以前，學者曾指出〈那〉是〈大濩〉的歌詞，這個推斷是有道理的，當然不能說就是原來的歌詞，沒有發展變化。按〈那〉在《詩經》中不分章，現在把它分爲整齊的五章，每章四句，最後剩餘兩句：「顧予烝嘗，湯孫之將。」兩句的大意是，「祈求先祖降臨享用祭品，這是成湯的後世子孫奉獻的。」這兩句也許是朗誦的祝詞，屬於幫腔之類。〈那〉有「萬舞」，所用樂器有鏞鐘、大鼓、鞉（ㄊㄠˊ）鼓（撥浪鼓）、磬、管等，聲音深沈和平。這個舞蹈雖然不如〈大武〉那樣具有故事情節，但也力圖表現商湯的功德。

〈商頌〉的〈烈祖〉篇也是歌頌商湯的，原來不分章，現在把它分爲整齊的五章，每章四句，最後也剩餘兩句：「顧於烝嘗，湯孫之將。」結構和〈那〉完全相同。那麼，如果〈那〉是〈大濩〉的歌詞，〈烈祖〉也應當是〈大濩〉的歌詞。

〈邶風·簡兮〉描寫的是一場大型舞蹈：

(1)簡兮簡兮，方將萬舞。日之方中，在前上處。

(2)碩人俁俁（ㄩˇ），公庭萬舞。有力如虎，執轡如組。

(3)左手執籥（ㄩㄝˋ樂器），右手秉翟（ㄉㄧˊ雉尾）。赫如渥赭，公言錫爵。（翟—錫韻，爵—藥韻，皆入聲韻。）

(4)〔尾聲〕山有榛，隰（ㄒㄧˊ）有苓。云誰之思，西方（指原周族地區）美人。彼美人兮，西方之人兮。

此詩原分三章，後人根據韻腳，定爲四章④。從內容看，分爲四章也是正確的。碩人表演的屬於「萬舞」類，是「駕馬車之舞」，所以說「執轡如組」，馬繮繩在他手裡就像柔軟的絲帶。而執籥秉翟的舞蹈，屬於文舞，大概由另外一些人表演。舞師都累得滿臉通紅，國君賜給他們酒喝。這時伴奏者演唱了一首情歌，作爲尾聲。

《詩經》中有些詩篇的「尾聲」或「引子」，可能是選擇一個獨立小曲或其他樂曲的一段而移植過來的，移植時也可能把原歌詞也帶過來。〈簡兮〉的尾聲或許就是連歌詞一起移植過來的，並非眞有在場的人對舞師表示愛慕之情，因爲在「公庭」裡是不許人們有這種表示的。

《詩經》中所反映的樂舞藝術，可以代表當時的最高水平。

第三節 「詩言志，歌永言，聲依永，律和聲」——《詩經》的文學成就

《詩經》的歌詞，三〈頌〉滯澀沉悶，反映了音樂的舒緩單調的特點。〈周頌〉中有一部分詩不押韻，大概是朗誦的祝詞，和銅器銘文相似。〈國風〉以及〈大、小雅〉中的大部分歌詞都有它們的特點：

㈠歌詞與音樂密切結合。章句的重疊是爲了適應樂曲的情緒和形式的要求，使聽者有「餘音繞樑」之感。如〈召南．行露〉：

(1)〔引子〕厭（湆）浥行（道路）露，豈不夙夜，謂（畏）行多露。

(2)〔唱〕誰謂雀無角（鳥嘴）？何以穿我屋？誰謂女無家？何以速我獄？〔和〕雖速我

獄，室家不足。

(3)〔唱〕誰謂鼠無牙？何以穿我墉？誰謂女無家？何以速我訟？〔和〕雖速我訟，亦不女（汝）從。

歌聲縈廻，加强了藝術效果。

㈡歌詞本身就有節奏感。節奏感是由押韻、字音協調、文字簡練緊湊等條件所形成的。如〈魏風·伐檀〉（第一章）：

〔唱〕坎坎伐檀兮，寘（放）之河之干（岸）兮，河水清且漣漪。〔和〕不稼不穡，胡取和三百廛（ㄔㄢˊ）兮？不狩不獵，胡瞻爾庭有懸貆（ㄏㄨㄢˊ）兮？彼君子兮，不素餐兮。

字音雖然是古音，但我們現在讀起來，仍然感到韻脚明朗，字音順口，語句充滿了力量，歌詞的節奏既反映了伐樹的勞動，也反映了沈重的憤怒的心情。

又如《芣苢》描寫婦女在野外摘採車前子的情景：「采采芣苢，薄言掇之。采采芣苢，薄言捋之。」邊採邊唱，此唱彼和。歌詞的節奏既反映了歡樂的情緒，也反映了迅速敏捷而又熟練的摘採動作。聲音的節奏轉化爲動作形象的節奏。

㈢善於運用形象化的描寫方法。從現實生活中選擇題材，用「比」、「興」和襯托的方法，繪聲繪色，使讀者易於理解，而且有强烈的藝術感染力。朱熹說：「比者，以彼物比此物」；「興者，先言他物，以引起所咏之辭」。如〈周南·桃夭〉：「桃之夭夭，灼灼其華。之子于歸，宜其室家。」這是用在婚禮上的一首賀詞。用盛開的桃花比喻美麗的少女，而且說明婚禮是在桃花盛開的時候舉行的。用的是比的方法，〈關雎〉以成雙成對的水鳥引起對婚禮上新夫婦的贊歌。用的是興的方法。

用襯托的方法，是爲了先造成一種抒情的氣氛。如〈東山〉四章，每章開始的一段都是「我徂東山，慆慆不歸。我來自東，零雨其濛。」這種淒凉的情景襯托出，一個離家三年的士卒，結束了征戍生活，在濛濛細雨中踏上歸途以及到家後的哀怨心情。又如〈召南・殷其靁〉：「殷其靁，在南山之陽。何斯違斯，莫敢或遑。振振君子，歸哉歸哉！」雷聲隆隆，風雨如晦，襯托出在家的婦女懷念遠人的驚恐不安的焦慮心情。

第四節　「聲音之道，與政通矣」——《詩經》的史料價值

《詩經》還反映了當時社會各方面的情況，諸如社會生活、階級鬥爭、典章制度，風俗習慣以及各階級、階層的精神面貌等。許多作品都是史詩，所提供的重要史料可以分爲以下各類：

㈠記錄了周民族早期活動的歷史和傳說。如〈大雅・生民〉記敍周族始祖姜嫄生育后稷的神話，以及后稷在農業上的貢獻等；〈大雅・綿〉、〈魯頌・閟宮〉等記敍周族先公古公亶父（太王）自豳遷岐的故事；〈文王〉等歌頌姬昌（文王）準備滅商的事迹。這些資料就是司馬遷撰寫〈周本紀〉的一部分主要根據。

㈡反映了重大歷史事件。如上面所說的〈周頌〉的〈酌〉、〈武〉等篇實即〈大武〉舞的樂章，

歌頌周武王滅商的事迹。〈大雅・桑柔〉描寫的大概是周厲王十六年（前八四二年）人民大起義的情況。

㈢反映了社會制度。如〈小雅・信南山〉保存了土地制度資料；〈周頌〉的〈臣工〉、〈噫嘻〉等記述了耕作制度；〈大雅〉的〈公劉〉、〈崧高〉等記述了賦稅制度；〈秦風・黃鳥〉記述了用活人殉葬的制度。

㈣大量的民歌和一部分貴族作品所表達的喜怒哀樂的感情，都可以據以考察當時的社會政治狀況。

此外，還有些作品提供了自然科學資料。如〈大雅・雲漢〉描寫旱情說「旱既大甚，滌滌山川」，研究者多認爲是指周宣王末年發生的大旱災而言。〈小雅・十月之交〉描寫地震的情況說：「百川沸騰，山冢崒（ㄗㄨˊ）崩。高岸爲谷，深谷爲陵。」同時發生日食。據研究者推算，這次地震發生在周幽王六年（前七七六年）九月六日。這是我國最早的有確實時間的地震記錄。

第五節　「仁者見仁，智者見智」——古代的「詩經學」

從春秋時期起，《詩》就在上層社會的政治和文化生活中，起著重要作用，同時開始被研究解說，賦予種種不同的意義。《左傳》襄公二十八年記載一個人的話說：「賦詩斷章，余取所求焉。」杜預注：「譬如賦詩者，取其一章而已。」賦詩斷章，是當時貴族社會的一種風氣，取《詩經》中一篇詩的一章或一兩句，宛轉地表達自己的思想感情。他們正在逐漸地造成《詩經》的權威地位，同時也正在曲解《詩經》的內容。孔子整理過《詩經》，在教學時又把它列爲六門主要課程之一。他說：「《詩》三百，一言以蔽之，曰『思無邪』。」認爲作者的思想都是純正的。這就給《詩經》作了結論，都是「溫柔敦厚」的作品。孔門弟子和以後的儒生就本著這種認識來解說《詩經》，於是產生了種種牽強附會的說法。但先秦時期的儒生以及其他解詩者的言論，流傳下來的都是零星的，沒有完整的專著。

漢代以後研治《詩經》的專著就多起來，現在把流傳下來的具有代表性的一些著作列舉如下⑤：

(1)西漢《毛詩故訓傳》（傳是對經文的解釋）。西漢傳授《詩經》的有四家：齊詩，齊國人轅固傳；魯詩，魯國人申培傳；韓詩，燕國人韓嬰傳；毛詩，魯國人毛亨（一說毛萇）傳。四家詩所傳經文有出入，解說紛歧之處更多。當時三家詩盛行，毛詩處於不重要的地位。《漢書·藝文志》著錄《毛詩故訓傳》；其中必然包括春秋末期以來儒生解詩的一些言論，並非毛亨一家之言。

毛詩每篇之前有一段簡短的說明，稱爲詩序。只說一篇內容的，稱小序；在第一篇〈關雎〉之前，除小序外，還有一大段泛論《詩經》的文章，稱爲大序。這些小序大都是對詩意的曲解。關於詩序的作者，或說是孔子的弟子子夏，或說是東漢人衞宏；也有人認爲這些序文是匯集西漢儒生對詩的解說而成的。按後一種說法比較合理，詩序出於衆說，可能由衞宏做了一番整理統一的工作，然後安排在書裡。

(2)東漢《毛詩傳箋》。毛詩盛行於東漢，又經大經學家鄭玄爲「毛詩」作《箋》（闡發傳文的意義），更爲學者所推重，廣爲傳播，三家詩便趨於衰微。鄭箋並未侷限於毛傳，包括各家和他本人的見解，所以這部書可以反映東漢詩經學的研究成果。

(3)《毛詩正義》。從魏晋以後，研治《詩經》者仍以毛傳鄭箋爲主，但對於傳箋兩者的得失問題，多有議論。唐貞觀十六年（六四二），孔穎達等奉命「因鄭箋爲正義，乃論歸一定，無復歧途。」「融貫羣言，包羅古義。」⑥這部書也在一定程度上反映了魏晋至唐這個時期的研究成果。

(4)南宋朱熹撰《詩集傳》。宋代學者對小序及毛傳鄭箋作了一定的批判，提出了許多新見解，使詩經學取得了較大的進展。《詩集傳》反映了當時的研究成果。如朱熹說：「凡詩之所謂風者，多出於里巷歌謠之作，所謂男女相與歌咏，各言其情者也。」衝破小序，提出了符合社會實際的見解。但他對〈周南〉、〈召南〉中許多「男女相與歌咏」的作品，却又指爲例外，仍然侷限在小序裡。在文字訓詁方面，大部分繼承了毛傳鄭箋，對詩的評論也都是傳統的說教。此後，《詩集傳》長期居於支配地位。

(5)清代有《詩經通論》、《毛詩傳箋通釋》、《詩毛氏傳疏》等。康熙年間，姚際恒撰《詩經通論》，認爲「漢人之失在於固，宋人之失在於妄」，意欲「辨別前說，以從其是，出黜其非」，實即傾向於基本恢復毛傳鄭箋的地位。其後在崇尚訓詁考據學的風氣之下，馬瑞辰撰《毛詩傳箋通釋》，進一步對毛傳鄭箋加以發揮。至陳奐撰《詩毛氏傳疏》，認爲「讀詩不讀序，無本之敎也；讀詩與序，而不讀傳，失守之學也。」於是「置箋而疏傳」，以「宗毛詩義」。這類著作在名物訓詁上取得了一定的成就，但對詩義的解釋却落後於宋人。

過去的詩經學不可能正確地揭示《詩經》的本來面目和偉大意義。解放以後，人們學習了馬克思列寧主義、毛澤東思想的理論，掌握了更多的文獻和考古資料，批判地繼承了前人整理《詩經》的成果，對這份珍貴的文學遺產展開科學的研究，已經取得了新的成就，將來還會取得更大的成就。

---

①《中國古代音樂史稿》第四章

②參看陰法魯：〈中國古代詩歌中的唱和形式〉，《詞刊》一九八〇年一、二期。作品中「唱」「和」等標誌，是作者加的。

③參看孫作雲：《詩經與周代社會研究》頁二三九—二七二。

④參看王力先生《詩經韻讀》頁一六九。

⑤參看皮錫瑞：《經學通論．詩經》；吳鶩山：《詩經學述評》，《文獻》一九八〇年三輯；陳先吉：〈詩序〉作者考辨》，《中華文史論叢》一九八〇年一輯。

〔作者簡介〕

陰法魯，山東肥城人，一九一五年生。現任北京大學中文系教授、中文系古典文獻教研室副主任。主要著作有《唐宋大曲之來源及其組織》、《宋姜白石創作歌曲研究》（與楊蔭瀏合著），並參加二十四史的校點工作，負責校點《隋書》（與汪紹楹合作）、主編《古文觀止譯注》。主要論文有〈從敦煌壁畫論唐代的音樂和舞蹈〉、〈我國古代音樂的發展〉、〈中國古代音樂史發展規律試探〉、〈《詩經》中的「亂」〉、〈漢樂府與清商樂〉、〈關於詞的起源問題〉、〈中國古代詩歌中的唱和形式〉等。

《周禮》

金景芳

《周禮》是談政治制度的書。漢初時，名爲《周官》，將《周官》之名改稱《周禮》，蓋始于劉歆。自鄭玄兼注《周禮》、《儀禮》、《禮記》遂爲三禮之一。

第一節 《周禮》作者和成書年代

《周禮》作於何時？這個問題自漢以來，即衆說紛紜。說《周禮》出於周公或劉歆僞作，固然不對；說「出於六國時人」①，也不見得對。近人洪誠採朱謙之等人之說，斷爲「成書最晚不在東周惠王後」②，我看比較接近事實。

朱說：

「此書中所用古體文字，不見於其他古籍，而獨與甲骨文金文相同，又其所載官制與《詩經．大雅、小雅》相合，可見非在西周文化發達的時代不能作。③」

洪氏更補充說：

「從語法看，文獻中，凡春秋以前之文，十數與零數之間，皆用『有』字連之，戰國中期之文即不用。《尚書》、《春秋經》、《論語》、《儀禮》經文、《易·繫辭傳》皆必用。《穆天子傳》以用為常。《王制》、《莊子》不定。《左傳》、《國語》以不用為常。《山海經》中之〈五藏山經〉不用。《孟子》除論述與《尚書》有關之事而外，亦不用。《周禮》之經記全部用，此種語法與《尚書》、《春秋經》同，故非戰國時人之作。④」

我基本上同意洪誠的觀點。

考周公營成周（即雒邑）原是周武王的宿願。這一點，《史記·周本記》採《逸周書·度邑》述武王語說：

「『自洛汭延於伊汭，居易毋固，其有夏之居。我南望三涂，北望岳鄙，顧詹有河，粤詹洛伊，毋遠天室』。營周居於雒邑而後去。」

這是說，周武王曾因地理形勢，決定在伊、洛流域，原來夏人的舊地營建雒邑，作爲新都。於「周公行政七年」下又說：

「成王在豐，使召公復營雒邑，如武王之意。周公復卜，申視，卒營築，居九鼎焉。曰：『此天下之中，四方入貢道里均。』作〈召誥〉、〈洛誥〉。」

從這兩條材料裡，可以看得非常清楚，營成周是武王的意思，其出發點在於考慮地理形勢，至於「天下之中」，則是營成周的副產物，並不在初時考慮之內。而《周禮》則不然。《周禮》把「求地中」作爲「惟王建國」的唯一標準。說什麼「日至之景，尺有五寸，謂之地中，天地之所合也，四時之所交也，風雨之所會也，陰陽之所和也，然則百物阜安，乃建王國焉。」⑤這種說法顯然違背周初營洛事實。

《周禮》封國之制，不但與《孟子》、《王制》之說不合，也與《左傳》、《國語》之說不合。例如《左傳》襄公二十五年說：

「且昔天子之地一圻，列國一同，自是以衰。」

意思是說：過去天子之地轄區千里，列國之地轄區各百里，依此遞降。昭公二十三年說：

「天亦監乎若敖、蚡冒，至於武、文，土不過同。」

這是說：楚國若敖（楚君熊儀）、蚡冒（楚君，即楚武王之父），至於武王、文王，封地不超過百里。《國語．楚語》說：

「齊桓晉文皆非嗣也，還軫諸侯，不敢淫逸……是以其入也，四封不備一同，而至于有畿田。」

此處所載封地同樣不超過百里。可見，周初封國無有過百里的。而《周禮．大司徒》却說：

「諸公之地，封疆方五百里……諸侯之地，封疆方四百里……諸伯之地，封疆三百里……諸子之地，封疆方二百里……諸男之地，封疆方百里。」

這種封國之制，斷非周初所有。

畿服之制，古籍有二說。

其一，《尚書．康誥》說：

「侯甸男邦采衛，百工播民和，見士於周。」

這是說，侯、甸、男邦、采、衛等諸侯和周朝官民，都效力於周新大邑。這裡，侯、甸、男、采、衛當時稱爲外服。〈酒誥〉說：

「越在外服，侯甸男衛邦伯，越在內服，百僚庶尹，惟亞惟服宗工。」

意思是：在外服的職官，如侯、甸、男、衞的國君；在內服的職官，如各級官員，衆長官，以及副職、其它官吏和王族官員。根據《尙書》所記，則王畿之外，有侯、甸、男、采、衞諸服，且甸服屬於外服。

其二，《國語·周語》說：

「夫先王之制，邦內甸服，邦外侯服，侯、衛賓服，蠻、夷要服，戎狄荒服。」

這是說，先王的制度規定，王畿方千里之內爲甸服；王畿之外爲侯服；侯服之外爲賓服，賓服之外爲要服，要服之外，稱荒服。

《荀子·正論》亦有類似的記載。根據《國語·周語》所記，則甸服屬內服，即王畿之地；而甸服之外，還有賓服、要服、荒服等等。

以上二說不同，最合理的理解，爲《尙書》所記應是周初仍襲殷制，未及改作，《周語》、《荀子》所述，則是周人新制，後世沿用。而《周禮》却於〈夏官·大司馬·職方氏〉、〈秋官·大行人〉說什麼「九畿」、「九服」（指侯、甸、男、采、衞、蠻、夷、鎭、藩等九服。自王畿千里之外，每五百里爲一服，依次爲別），周公時顯然不可能有如此遼闊的疆域。然而除此而外，《周禮》其餘部分則什九是西周舊制，無可疑者。

我考儒家的儒，得〈太宰〉「九兩」的「儒以道得民」。了解到儒字古義是「有六藝以教民者」，證之以太史公談〈論六家要旨〉說「儒者以六藝爲法」，《漢書·藝文志》說儒家「游文於六經之中，留意於仁義之際」，《史記·孔子世家》說「孔子以詩書禮樂教，弟子蓋三千焉，身通六藝者七十有二人」而皆通。我考井田制，從〈地官·載師〉而知古時遠郊亦曰牧，實爲恩格斯〈馬爾克〉一文中所說的「公共馬爾克」，近郊亦曰「農郊」（農郊取《詩·衞風·碩人》），實爲恩格斯〈馬爾克〉一文中所說的「分配馬爾克」。從〈地官·遂人〉而知井田制就是「把土地分配給單個家庭並定期實行重新分配」，與馬克思恩格斯所論述的農村公社完全一致。其它如「合耦」之制，「不易之地家百畝，一易之地家二百畝，再易之地家三百畝」之制，等等，都不能僞，並不可能作於春秋中期以後。

因此，我認爲《周禮》一書是東遷以後某氏所作。作者得見西周王室檔案，故講古制極爲纖悉具體。但其中也增入作者自己的設想。例如封國之制、畿服之制一類的東西，就是作者自己設想所制定的方案。這個方案，具有時代特點，不但西周不能爲此方案，即春秋戰國人也不會作此方案。原因是春秋戰國時，周室衰微已甚，降爲二、三等小國，當時不會幻想它會復興。而在西周的歷史條件下，則不可能產生這樣的設想。至于鄭玄所說「周公居攝而作六典之職，謂之《周禮》」，是沒有根據的。

第二節　體例和內容

《周禮》文繁事富，體大思精。全書用六官區分爲六部分。今冬官全亡，地官司祿、夏官軍司馬、輿司馬、行司馬、掌疆、司甲，秋官掌察、掌貨賄、都則、都士、家士諸職亦闕。

六官爲天官、地官、春官、夏官、秋官、冬官。每一官都有「惟王建國，辨方正位，體國經野，設官分職，以爲民極」數語冠首。以下，如在天官則說「乃立天官冢宰，使帥其屬而掌邦治，以佐王均邦國」。冢宰爲六卿之首、百官之長，其職掌理天下政務，以輔佐王者統治天下。天官所屬編制，上自大宰、小宰，下至屨人、夏采，包括六十二種職官。

在地官則說「乃立地官司徒，使帥其屬而掌邦教，以佐王安擾邦國」。地官之長大司徒，掌邦教、土地、賦稅等。其編制有大司徒、小司徒，鄉師、鄉大夫、州長、黨正，以及饎人、槀（ㄍㄠˇ）人等。

在春官則說「乃立春官宗伯，使帥其屬而掌邦禮，以佐王和邦國」。宗伯爲六卿之一，掌邦禮，主管宗廟祭祀等。春官的編制，上自大宗伯、小宗伯，下至都宗人、家宗人包括六十九種職官。

在夏官則說「乃立夏官司馬，使帥其屬而掌邦政，以佐王平邦國」。夏官之長大司馬，爲六卿之一，掌軍政，統領軍隊。夏官之屬有小司馬、軍司馬、行司馬、司勛，以及撢人，都司馬等六十八種官名。

在秋官則說「乃立秋官司寇，使帥其屬而掌邦禁，以佐王刑邦國」。秋官大司寇爲六卿之一，其職掌獄訟刑罰等司法政務。秋官之屬有小司寇、士師、鄉士、遂士、掌交、朝大夫等六十五種官名。

以上諸官均先敍其官名、爵等、員數，再分敍各自的職掌。

《周禮》冬官全亡，以《考工記》補之。所記包括治木之工、治金之工、設色之工、刮摩之工、摶埴之工等，對於車、削、矢、劍、鐘、量、甲、韋革、臯陶、染羽、磬、玉、弓等等的製作，敍述甚詳。

應該指出，《周禮》所說「惟王建國」的「國」，實包括王畿全部。「體國經野」的「國」，則爲與野相對而言，但指遠郊以內。至「以佐王均邦國」的「國」，則是指諸侯之國。一篇之內，用了三個「國」字，而義各不同，不可不辨。同時「惟王建國」數語，是從一般意義來講的。這個「王」不定指某王，表明這只是草擬一個備用的方案。

第三節　史料價值、影響及注本

讀《周禮》，不僅可以考見古制，還可以看到《周禮》作者的邏輯思想。學者稱讚孫詒讓《周禮正義》「以太宰八法爲綱領」。其實太宰的六典、八法、八則、八柄、八統、九職、九賦、九式、九貢、九兩都有綱領意義。即都是運用邏輯思想，從複雜繁賾的職事中，概括爲若干條原則。

《周禮》六官所記，基本上是西周歷史條件下的各種現實的政治制度。因此，有人以《周禮》嬪御、奄寺、飲食、酒漿、衣服、次舍、器用，貨賄，皆領於冢宰，冕弁、車旗、宗祝、巫史、卜筮、瞽侑（ㄍㄨˇ ㄧㄡˋ），皆領於宗伯，爲周公相成王格心輔德之法⑥。也有人以爲周公成文武之德，相成王爲太師，乃廣置宮闕、猥褻、衣服、飲食、技藝之官以爲屬，必不然矣⑦。這都是不懂得歷史唯物主義，用後世之見來臆測古人的。殊不知《周禮》這些記載，恰是當時的眞實情況。我們今日而欲考求中國古代的田制、兵制、學制、刑法、祀典諸大端，固捨是書莫屬了。

儘管自來學者對《周禮》一書疑信參半，然而此書對後世的影響還是很大的。最顯著的例子如王莽、王安石的變法、宇文泰的改革官制，有人認爲就都是規摹《周禮》的。《考工記》亦是先秦古書，漢人用補《周禮》冬官。其書稱「鄭之刀」，又稱「秦無廬」。而鄭封於宣王時，秦封於孝王時，此書當然非周初作品。但不能因此就說《考工記》是戰國末的書。梁啓超雖然說《考工記》是戰國末的書，但也不能不承認「其文體較古雅些，所敍之事也很結實，沒有理想的話」⑧。其實，這一點正可作爲它是周室東遷後的人所作的一個證據。《考工記》舉出「有虞氏上陶，夏后氏上匠，殷人上梓，周人上輿」，正因爲此書是周人所作，所以對於車的構造記述特詳。這一點也是考證《考工記》寫作時代所應注意的。既然記文不是僞作，而在記文裡明白地舉出這些，自然它不會是春秋或戰國時人的作品了。至於記文的價值，今日講工藝者，類能言之，就不在這裡詳說了。

《周禮》的價值就在於它是寶貴的歷史資料。我們研究古代史，論證一些問題，都可加以利用，以期把歷史變成科學。這樣，我看它就是無價之寶。

古今注釋《周禮》的書很多，不能一一列舉，也沒有必要一一列舉。茲只舉最基本的三部分：一、鄭玄《周禮注》；二、賈公彥《周禮注疏》；三、孫詒讓《周禮正義》。

鄭玄注成於東漢末，是在杜子春、鄭興、鄭衆、賈逵、馬融諸家舊注的基礎上完成的。實際上是給《周禮》學作了第一次總結。《周禮》鄭注簡奧融通，功力最深，爲學《周禮》必讀的書。

賈公彥疏成於唐初，它是闡釋鄭注的。此書舊謂原出沈重《〈周官禮〉義疏》。實際上已包括魏晋六朝諸家之說，賈公彥在唐初爲《周禮》學作了第二次總結。《朱子語類》論唐人諸經義疏，說「《周禮注》疏最好」，是有根據的。

孫詒讓《正義》成於清末，博採宋元明清諸家之說，疏通證明，折衷至當，在清人諸經新疏中，沒有超過此書的。在目前，可以說是《周禮》學最後的一次總結。當然，由於歷史侷限性，不能說此書沒有錯誤；不過錯誤很少。這就有待於後人繼續研究了。

鄭玄《周禮注》通行版本很多，以四部叢刊影明翻宋刋本爲最佳。賈公彥《周禮注疏》，阮元刻《十三經注疏》附校勘記本較好。董康誦芬室用宋槧影印《周禮疏》五十卷最稱善本，然不易得。孫詒讓《周禮正義》有光緒三十一年鉛印本，字迹淺深不一，不便閱讀。另有民國二十年笛湖精舍刻本，字迹很大，便於閱讀，但錯字太多。還有四部備要本，也有錯字。至於國學基本叢書本，則字太小，錯字和斷句斷錯了的也不少。閱讀時，最好以笛湖精舍刻本爲主，用其它各種版本作參考。

---

①見皮錫瑞《經學通論·三禮》。
②〈讀周禮正義〉，見《孫詒讓研究》。
③〈周禮的主要思想〉，見《光明日報》一九六一年十一月十二日第二版。
④〈讀周禮正義〉，見《孫詒讓研究》。
⑤《周禮·地官·大司徒》。
⑥王應麟《困學紀聞》卷四。

⑦胡宏《皇王大紀》。

⑧《古書眞僞及其年代》。

〔作者簡介〕

金景芳，遼寧義縣人，一九〇二年生。現任吉林大學歷史系名譽主任兼先秦史研究室主任。主要著作有《易通》、《中國奴隸社會的幾個問題》、《古史論集》、《論井田制度》。

《儀禮》

王文錦

中國歷代王朝很重視禮制。每個王朝的建立，都要物色一些精於禮學的專家，來制定一整套禮儀。朝廷之所以重視這項工作，是因爲禮制對於鞏固尊尊卑卑的等級制度，維護階級對立的社會秩序，都有很大的作用。

從殷周到清代，幾千年來中國有自己的一系列禮儀制度。現存的古籍中關於禮制的，仍然有一大批。在漫長的奴隸制和封建制的社會裡，禮制是一種頗爲特殊的上層建築。了解些中國歷史上的禮制，就能對中國古代社會的認識更爲具體，更爲深入。

第一節　成書和傳授

禮是儒家學說中的核心部分。先秦的六經中有《禮》，漢代立五經學官，其中也有《禮》。唐立九經，中有「三禮」即《周禮》、《儀禮》、《禮記》。宋代立十三經，中間也有「三禮」。禮一直是古代貴族子弟和一般士人的必修課程。過去的三千年，在大多數士大夫的知識結構中，禮是重要的組成部分。

《儀禮》原來就叫《禮》，漢朝人稱爲《士禮》，對《禮記》而言，又叫《禮經》。到了晋代才稱《儀禮》，比如《晋書·荀崧傳》就有請立鄭玄《儀禮》博士的話。其實，改稱《儀禮》也不無道理，因爲《儀禮》十七篇，全是禮儀的詳細記錄，這書一般光記儀節，不講禮的意義。

《儀禮》是儒家傳習最早的一部書。以前人們說這書是周公姬旦做的，不大可信。《史記》和《漢書》都認爲出於孔子。《史記·孔子世家》上說：「孔子之時，周室微而禮樂廢，《詩》《書》缺。追迹三代之禮，序《書傳》，上紀唐虞之際，下至秦繆，編次其事。曰：『夏禮吾能言之，杞不足徵也。殷禮吾能言之，宋不足徵也。足，則吾能徵之矣。』觀殷夏所損益，曰：『後雖百世可知也，以一文一質。周監二代，郁郁乎文哉！吾從周。』故《書傳》、《禮》記自孔氏。」《漢書·儒林傳》上說孔子「論《詩》則首《周南》，綴周之禮」。司馬遷說《禮》記自孔氏，班固說孔子把周代殘留的禮採綴成書。《禮記·雜記下》上也說：「恤由之喪，哀公使孺悲之孔子，學士喪禮，《士喪禮》於是乎書。」顯然，《儀禮》成書於東周時代。

孔子本人是位禮學大家，《史記》上說孔子從小就好禮：「爲兒嬉戲，常陳俎豆，設禮容。」他特別留意各代各國的禮，曾「適周問禮」，注意採輯搜訪，《論語·八佾篇》上說「子入太廟每事問」，他時刻是注意禮事的。他編輯的《禮》，是傳授弟子們的一項重要課程。這門課程不光是講授，尤其重視實習。《禮記·射義》上說「孔子射於矍相之圃，蓋觀者如堵牆」。這是在演習鄉飲酒禮。他在魯國是這樣，周游列國也是這樣，《史記·孔子世家》上說，「孔子去曹適宋，與弟子習禮於大樹下」。可見他顚沛造次都不忘「禮」。

《儀禮》一書形諸文字是在東周時期，而其中所記錄的禮儀活動，在成書以前早就有了。

這些繁縟的登降之禮，趨詳之節，不是孔子憑空編造的，而是他採輯周魯各國即將失傳的禮儀而加以整理記錄的。宋代學者朱熹說：「《儀禮》不是古人預作一書如此，初間只是以義起，漸漸相襲行得好，只管巧，至於情文極細密周致處，聖人見此意思好，故錄以成書。」這話是相當精闢圓通的。朱熹這段話的中心意思是：《儀禮》中記載的禮儀的具體細節，早在成書以前就有了，經過長期行用，逐漸充實完善而定型，後來才整理成書。也就是說，《儀禮》一書所反映的禮節形式，不僅有東周時代周魯各國的，也含有更早一些時候的。因爲禮儀也好，禮俗也好，都有很大的因襲性。就拿跪拜禮節來說，它起源於原始社會盛行於奴隸社會、封建社會，而它並沒有隨封建社會的結束而絕迹。

據〈孔子世家〉說，孔子以詩書禮樂教授弟子有好幾千人，身通六藝的有七十二人。孔子死後，「而諸儒亦講禮鄉飲大射於孔子冢。……故所居堂弟子內，後世因廟藏孔子衣冠琴車書，至於漢二百餘年不絕」。甚至在殘酷的戰爭年代裡，孔門的儒生弟子們對於詩書禮樂的學習也沒有中斷。《史記·儒林列傳》上說，楚漢相爭時，劉邦「舉兵圍魯，魯中諸儒尚講誦習禮樂，弦歌之音不絕」。秦始皇焚書坑儒是中國文化的第一次厄運，但這種野蠻措施並沒有也不能阻止住詩書禮樂的流傳。

西漢的史學家司馬遷，說他自己親眼看到「仲尼廟堂車服禮器，諸生以時習禮其家」的情景，而流連忘返。

《漢書·儒林傳》上說，漢興，魯高堂生傳《士禮》十七篇。而蕭奮以《禮》至淮陽太守。孟卿事蕭奮，以授後倉、閭丘卿。倉授聞人通漢、戴德、戴聖、慶普。從此傳授不斷，《漢書》、《後漢書》上都記錄了傳授關係。到東漢時，學者鄭玄給這十七篇禮文作了精當的注解，這就更有助於此書的廣泛傳習了。

第二節　篇次和內容

現存《儀禮》的篇次，是鄭玄採用劉向《別錄》所定的次序，即〈士冠禮〉第一、〈士昏禮〉第二，〈士相見禮〉第三，〈鄉飲酒禮〉第四，〈鄉射禮〉第五，〈燕禮〉第六，〈大射禮〉第七，〈聘禮〉第八，〈公食大夫禮〉第九，〈覲（ㄐㄧㄣ）禮〉第十，〈喪服〉第十一、〈士喪禮〉第十二，〈既夕〉第十三，〈士虞禮〉第十四，〈特牲饋食禮〉第十五，〈少牢饋食禮〉第十六，〈有司徹〉第十七。據鄭玄的《三禮目錄》記載，西漢禮家戴德、戴聖傳本的篇次都跟劉向所定的篇次不同。大戴所傳十七篇的順序是：〈士冠禮〉第一，〈婚禮〉第二，〈士相見禮〉第三，〈士喪禮〉第四，〈既夕〉第五，〈士虞禮〉第六，〈特牲饋食禮〉第七，〈少牢饋食禮〉第八，〈有司徹〉第九，〈鄉飲酒禮〉第十，〈鄉射禮〉第十一，〈燕禮〉第十二，〈大射儀〉第十三，〈聘禮〉第十四，〈公食大夫禮〉第十五，〈覲禮〉第十六，〈喪服〉第十七。小戴所傳十七篇的順序是：〈士冠〉第一，〈婚禮〉第二、〈相見〉第三，〈鄉飲〉第四，〈鄉射〉第五，〈燕禮〉第六，〈大射〉第七，〈士虞〉第八，〈喪服〉第九，〈特牲〉第十，〈少牢〉第十一，〈有司徹〉第十二，〈喪〉第十三，〈既夕〉第十四，〈聘禮〉第十五，〈公食〉第十六，〈覲禮〉第十七。另外，一九五九年七月在甘肅武威縣漢墓出土了九篇《儀禮》。其中木簡甲本、存有〈士相見之禮〉第三、〈服傳〉第八、〈特牲〉第十、〈少牢〉第十一、〈有司〉第十二、〈燕禮〉第十三、〈泰射〉第十四共七篇。經專家考定此乃西漢晚期慶氏禮的殘本。根據這七篇篇首所題記的篇名和篇次數字，可以推定它的篇次順序是：〈士冠〉第一，〈婚禮〉第二，〈士相見之禮〉第三，〈鄉飲酒〉第四，〈鄉射〉第五，〈士喪〉第六，〈既夕〉第七，〈服傳〉第八，〈士虞〉第九，〈特牲〉第十，〈少牢〉第十一，〈有司〉第十二，〈燕禮〉第十三，〈泰射〉第十四，〈聘禮〉第十五，〈公食〉第十六，〈覲禮〉第十七。值得注意的是：戴德、戴聖、慶普他們是一師之徒，而他們各自傳習《儀禮》的篇次，既和劉向《別錄》所定篇次不同，彼此之間也不一樣；不僅篇次不同，其篇題乃至正文字句也有歧異之處：眞可謂「儒者一師而禮異」了①。以前有些學者認爲，比較起來，戴德傳本的篇次更爲合理。理由是：《禮記·昏義》上說：「夫禮始於冠，本於昏，重於喪祭，尊於朝聘，和於射鄉，此禮之大體也。」戴德傳本的篇次大體上就合乎〈昏義〉上所說的次序。清代學者邵懿辰在他的《禮經通論》裡說：「冠昏喪祭射鄉朝聘八者，禮之經也。冠以明成人，昏以合男女，喪以仁父子，祭以嚴鬼神，鄉飲以合鄉里，燕射以成賓主，聘食以睦邦交，朝覲以辨上下。」也是贊同戴德傳本篇次的。羅振玉《漢熹平石經殘字集錄》中著錄一石，首行作「鄉飲酒第十」跟鄭玄《三禮目錄》中所擧戴德的篇次吻合，可見漢朝禮學博士們的讀本，就是用戴德傳本篇次的。今天仔細比較上列四種篇次，我以爲系統性最強的，當推慶普傳本的篇次。不過，鄭玄採用的劉向所編定的篇次，也不能說雜亂不合理，這個篇次是用三條線貫穿著的，從成人、成婚到社交活動，從低級貴族到高級貴族，從生到死。排法儘管與大戴、小戴、慶普不同，系統性也是很鮮明的。

底下我們就按照鄭玄注本的篇次，簡單地介紹一下十七篇的內容。

第一篇〈士冠禮〉：古代貴族子弟到了二十歲，可以作爲本族一個正式成員，爲此而特別舉行一種加冠典禮，從而使本人和宗族都明確認定他已成人，人生的一個嶄新的重要的階段開始了。這篇禮文記載了這項禮節的詳細經過。

第二篇〈昏禮〉：古代貴族把結婚看成爲上事宗廟、下繼後世的神聖責任，這篇禮文就是記載男女雙方在家長主持下，從納采到婚後廟見的一系列禮儀。

第三篇〈士相見禮〉：是記載貴族與貴族第一次交往，帶著禮物登門求見和對方回拜的禮節。

第四篇〈鄉飲酒禮〉：記載的是古代基層行政組織定期舉行的以敬老爲中心的酒會儀式。

第五篇〈鄉射禮〉：記載的是古代基層行政組織定期舉行的射箭比賽大會的具體儀節。

第六篇〈燕禮〉：記載的是諸侯和他的大臣們舉行酒會的詳細禮節，酒會上有宮廷藝術家的演奏和歌唱。

第七篇〈大射禮〉：記載的是在國君主持下舉行的射箭比賽大會的具體儀節，參加比賽大會的人都是各級貴族。

第八篇〈聘禮〉：記載的是國君派遣大臣到他國進行禮節性訪問的具體細節。

第九篇〈公食大夫禮〉：記載的是國君舉行宴會招待來訪外國大臣的禮節。

第十篇〈覲禮〉：記載的是諸侯朝見天子的禮節。

第十一篇〈喪服〉：記載的是人們對死去的親屬，根據親疏遠近而在喪服和服期上有種種差別的制度。

第十二篇〈士喪禮〉、第十三篇〈既夕禮〉：這兩篇記載的是一般貴族從死到埋葬的一系列的詳細儀節。

第十四篇〈士虞禮〉：記載的是一般貴族埋葬其父母後，回家所舉行的安魂禮。

第十五篇〈特牲饋食禮〉：記載的是一般貴族定期在家廟中祭祀祖禰的禮節。

第十六篇〈少牢饋食禮〉、第十七篇〈有司徹〉：這兩篇記載的是大夫一級的貴族在家廟中祭祀祖禰的禮節。

第三節　來源和影響

《儀禮》中記載的一套禮儀，帶有極其明顯的階級烙印。但還不能說所有的儀節全是階級社會的產物，因爲其中有些形式是從氏族制時期傳襲下來的禮俗。所以我們通讀這書，不僅能了解周魯各國貴族生活的一些側面，還可以從中窺探遠古的史影。

比如冠禮，就是由遠古氏族制時期的成丁禮變化而來的。楊寬先生在《冠禮新探》中說：「成丁禮也叫入社式，是氏族公社中男女青年進入成年階段必經的儀式。按照當時的習慣，男女青年隨着成熟期的到來，需要在連續幾年內，受到一定程序的訓練，使具有必要的知識、技能和堅强的毅力，具備充當正式成員的條件……如果訓練被認爲合格，成年後，便可參與成丁禮，成爲正式成員，得到成員應有的氏族權利，如參加氏族會議、選舉和罷免酋長等，還必須履行成員應盡的義務，如參加主要的勞動生產和保衛本部落的戰鬥等。」到了奴隸制社會，冠禮成爲貴族在本族中舉行的「成丁禮」了。貴族襲用了傳統的形式，而賦予以新的內容，舉行這種冠禮的目的是：鞏固貴族組織，加强宗法制度，從而有利於對人民的統治。成員們的權利和義務也都以此爲中心。這就和氏族公社的成丁禮有著本質的不同了。

再如鄉飲酒禮，據楊寬同志論證，認爲它起源於氏族聚落的會食制度。這種禮節主旨在於尊長和養老。「周族自從進入中原，建立王朝，多數成爲統治階級，其父系家制已轉化成爲宗法制度，原來習慣上應用的禮儀也轉化爲維護宗法制度和貴族特權的手段。」鄉飲酒禮就變成在基層行政組織中分別貴族長幼等次的禮節了。

可見《儀禮》書中不僅反映了周代貴族冠婚喪祭、飲射朝聘的生活，而且它還保留了一些遠古禮俗的外殼。

劉邦建立漢王朝，朝儀出於叔孫通之手。他本是秦朝的博士，多採用秦朝的禮儀。叔孫通擬定的那套朝儀，並沒有作爲定制。他所撰的《禮儀》，後來沒有人傳習，班固就說：「叔孫通所撰《禮儀》……民臣莫有言者。」《儀禮》雖然在西漢時期立成學官較晚，不爲漢高祖、漢文帝、漢景帝所重視，但此書的傳授始終未斷。自從鄭玄爲之作注以後，就更爲一般士人所傳習了。到了魏晉南北朝時期，出了許多禮學家，《隋書．經籍志》上著錄了他們的許多的著作。士人們重視《儀禮》一書，自然不能不影響朝廷的制禮作樂的工作。那時官員們的建言、駁難等都以「三禮」爲理論根據，《晉書》和南北朝各史的〈禮志〉、《通典》、《文獻通考》中保留了這方面的大量文字。

儘管《儀禮》十七篇所記儀節制度，遠遠不能滿足後世統治階級的需要，然而各朝禮典的制定，大都以《儀禮》爲重要依據而踵事增華。例如，我們從《大唐開元禮》中就可以清楚地看出編撰者對於禮例的精熟程度，不是精通《儀禮》的人，是難以措手的。

《儀禮》所記的儀節制度，予後世的影響是十分深遠的，冠婚喪祭各種禮節一般都爲後世承襲，只是細節上略有增減而已，鄉飲酒禮一直到清朝道光年間才因經費問題而廢止。特別值得一提的是《儀禮》中的〈喪服篇〉從魏晋以迄清末，禮制介入了法制，各個王朝的法典，都是以儒家學說爲指導思想和立法根據的。其中最重要的一點是根據〈喪服〉篇中的「五服制度」規定，實行了「准五服以治罪」的原則②。可以說。〈喪服〉是篇極爲特殊的歷史文獻，從干預生活的直接性、深刻性、廣泛性、持久性這這些方面來講，簡直是無與倫比的。

隨着封建制度的覆滅，《儀禮》及其派生禮典所記錄的一系列腐朽落後的儀節就失去了社會憑藉，從而合情合理地剝奪了它實踐的可能性。不過，《儀禮》一書的史料價值並不因此而等於零。

第四節　閱讀和參考

《儀禮》在中國古籍中屬於很枯燥難懂的一種書，但只要認眞，講求點方法，總是能懂的。特別是利用以前學者的學習經驗和研究成果，那對我們的閱讀就更有幫助了。

第一，對書裡提到的各種名物禮器，如籩豆爵俎之類，既要細看注文，也要找有關書籍看看圖。爲了加强印象，頂好到歷史博物館看看實物。如果把書中提到的各種器物分類（如衣著、射具、飲食、器皿、宮室等）記出，自然更好。此外對一些常出現的比較抽象的詞滙，要弄清其含義。

第二，辨明行禮的處所以及人和物所在的方位。閱讀時可以隨手畫畫示意圖。弄不清這點，就往往看不懂禮文。

第三，一根竹竿是由許多竹節組成的，一套禮也是由許多儀節組成的。閱讀時要細心辨認出到哪裡爲一節，節次分明了，整個禮文也就清楚了。例如，一篇〈士昏禮〉是由納采，問名及禮使，納吉，納徵，請期，陳饌，親迎，成禮，婦見舅姑，醴婦，婦饋舅姑，舅姑饗婦饗送者，廟見等十三個小節組成的。如果不分節，讀後就一片模糊，沒個頭緒。

第四，《儀禮》中有許多禮例貫穿各篇禮節當中，禮文雖不明說，而其儀節都無不符合這種內在的規定性。如凡室中房中之拜以西面爲敬，堂下之拜以北面爲敬；凡升階皆讓，賓主敵者俱升，不敵者不俱升；凡禮盛者必先盥（ㄍㄨㄢˋ）……。我們仔細閱讀，就可以歸納出許多條禮例來。禮例理解的越多，對這書的理解就越透。

最後介紹幾本參考書：

一、清人張惠言的《三禮圖》。張惠言是清代乾隆、嘉慶期間的學者，他精研《儀禮》，根據十七篇禮文編繪了六卷圖，給讀者提供了很大方便。

二、清人張爾岐的《儀禮鄭注句讀》。這書把《儀禮》十七篇全部劃分了段落，標明了節次名稱，使《儀禮》本身的層次清晰地顯現出來了。

三、清人凌廷堪的《禮經釋例》。此書把《儀禮》中的禮例，進行了全面的歸納，得通例四十例，飲食例五十六例，賓客例十八例，射例二十例，變例二十一例，祭例三十例，器服例四十例，雜例二十一例，共二百四十六例。他這書堪稱是理解《儀禮》的一把鑰匙。

四、清人胡培翬（ㄏㄨㄟ）的《儀禮正義》。胡培翬總結了前人的研究成果，對《儀禮》正文和鄭注做了全面的疏解，這是部研讀《儀禮》不可不讀的書。

五、近人楊寬的《古史新探》。楊氏從史學家的角度，用古社會學知識，系統地探討了古禮。這書給人不少啓發，能增加學習《儀禮》的興趣。

①語見《戰國策·趙策》。

②《晉書·刑法志》。

〔作者簡介〕

王文錦，北京人，一九二七年生。中國大學文學系畢業。現任中華書局古代史編輯室副編審。

《禮記》

王文錦

自從東漢學者鄭玄分別給《儀禮》、《周禮》、《禮記》做了注解之後，才有了「三禮」這一名稱。《儀禮》記的是冠、婚、喪、祭、飲、射、燕、聘、覲的具體儀式；《周禮》是通過記述三百多種職官的職務，從而展開對社會政治制度的設想；而《禮記》的內容則側重於闡明禮的作用和意義。西漢時只有《儀禮》取得了經的地位，而有關禮的一些「記」，僅是《儀禮》的從屬性的資料。王莽執政，《周禮》列爲官學，被視爲經典，東漢時期雖排之於官學之外，而已傳習於世。漢末《禮記》獨立成書，此後講習《禮記》的漸多，到了唐代，開始取得了經典的地位。從漢末到明、清，就「三禮」來說，《禮記》的地位越來越高。儘管《儀禮》、《周禮》兩書的體例比較完整，而《禮記》是部沒什麼體例可言的儒學雜編，取得經典地位也最晚，但從對社會、對人們思想的影響來說，《禮記》遠比《儀禮》、《周禮》爲大，這是一個值得注意的歷史現象。

第一節 《禮記》的編定及其歷史地位

《禮記》又名《小戴禮記》，東漢鄭玄的《六藝論》、晉代陳邵的《周禮論敍》和《隋書·經籍志》都認爲是西漢禮學家戴聖編定的。這是傳統的說法。經近代學者研究，斷定這種說法有問題。

西漢時期立於學官的五經是《易》、《書》、《詩》、《禮》、《春秋》。所謂《禮》，指的是《士禮》，也就是晉代以來所稱的《儀禮》。先秦禮學家們傳習《儀禮》的同時，都附帶傳習一些參考資料，這種資料叫做「記」。所謂「記」，就是對經文的解釋、說明和補充。這種記，累世相傳原是很多的，不是一人一時之作。到了西漢時期，禮家傳抄的記就不多了。東漢史學家班固在他的《漢書·藝文志》禮家項目中說：「《記》百三十一篇，七十子後學所記也。」西漢禮學家們傳授《儀禮》的時候，也各自選輯一些「記」，作爲輔助材料。它們共同的特點是：一、都是用當時通行的隸書抄寫的；二、附《儀禮》而傳習，沒有獨立成書；三、因爲是附帶傳習的資料，往往隨個人興趣而有所刪益，即使是一個較好的選輯本，它的篇數、編次也沒有絕對的固定性。

西漢的禮學純屬今文學派，儘管禮學家們彼此的學術觀點也存在著歧異。但他們都排斥古文經記；再說當時一些古文經記都藏在皇家秘府，一般人也見不到。西漢末期，掌管校理古文經籍的劉歆，建議把《左氏春秋》、《毛詩》、《逸禮》、《古文尚書》列爲官學，結果遭到學官博士們的一致反對，劉歆斥責他們「抱殘守缺」。由此可以推知，西漢禮學家們各自選輯的「記」，不會也不可能收進他們所排斥的而當時尚未行世的古文經記。可是由東漢中期傳留至今的《禮記》中，就摻進了古文學派的文字。比如〈奔喪〉、〈投壺〉就是《逸禮》中的兩篇。因此，不能說今天所見的這部《禮記》是西漢禮學家戴聖編定的。

西漢平帝時期，王莽當政，把《左氏春秋》、《毛詩》、《逸禮》、《古文尚書》立於學官，此後大力推行古文經學二十多年，東漢王朝建立後，立經十四博士，都是今文經學。《禮》的方面，立的是大戴、小戴兩家，把王莽時期所立的各種古文經學再次排斥在官學之外。雖然如此，由於古文經學已大興於世，從總體的情況來看，今文古文兩個學派日趨混同。東漢時期的大多數今文學派的禮學家，爲了適應皇朝的禮制需要，爲了自己的功名利祿，不再甘心「抱殘守缺」地傳習《士禮》，而致力於「博學洽聞」，從而在資料的匯輯上也趨向並蓄兼收。因此西漢經師們選編傳抄下來的各種選輯本，經過東漢經師之手，自然不免摻進了一些已經行世的古文記。

經過長時期的流傳删益，到東漢中期大多數「記」的選輯本先後被淘汰，而形成和保留了八十五篇本和四十九篇本。前者篇數多，遂名之爲《大戴禮記》；後者篇數少，遂名之爲《小戴禮記》。其實這兩個「記」的選輯本，都不是大戴（戴德）小戴（戴聖）各自附《儀禮》而傳習的「記」的選輯本的原貌。關於這個問題，洪業先生在他的《禮記引得序》中有極爲精細的考辨。

東漢學者鄭玄給東漢中期定型的收有四十九篇的「記」的選輯本——《禮記》做了出色的注解，這樣一來，使它擺脫了從屬《儀禮》的地位而獨立成書，漸漸得到一般士人的尊信和傳習，魏晋南北朝時期出現了不少有關《禮記》的著作。到了唐朝，國家設科取士，把近二十萬字的《左傳》和近十萬字的《禮記》都列爲大經，五萬字的《儀禮》和四萬五千多字的《周禮》、近四萬字的《詩經》等列爲中經。因爲《禮記》文字比較通暢，難度較小，且被列爲大經，所以即使它比《儀禮》的字數多近一倍，還是攻習《禮記》的人多。到了明朝，《禮記》的地位進一步被提高，漢朝的五經裏有《儀禮》沒有《禮記》，明朝的五經裏有《禮記》沒有《儀禮》。《禮記》由一個附庸蔚爲大國了。而《儀禮》這個往昔大國則日趨衰落了。

從西漢到明清這一漫長的歷史時期，爲什麼《禮記》越來越受重視，而《儀禮》越來越被漠視呢？因爲《儀禮》記的是一大堆禮節單子，枯燥乏味，難讀難懂，又離現實生活較遠，社會的發展使它日益憔悴而喪失了吸引力。而《禮記》呢，它不僅記載了許多生活中實用性較大的細儀末節，而且詳盡地論述了各種典禮的意義和制禮的精神，相當透徹地宣揚了儒家的禮治主義。歷史和現實的經驗使封建統治階級越來越深切地認識到，在强化國家機器的同時，利用以禮治主義爲中心的儒家思想，吸引廣大知識階層，規範世人的思想和行動，是維護統治秩序從而獲得「長治久安」的不容忽視的大政方針。這就是《禮記》受到歷代王朝的青睞，以至被推上經典地位的根本原因。幾千年來，對中華民族意識形態影響最大的書是儒家的書。從所起作用的大小來估計，《禮記》僅次於《論語》，比肩於《孟子》，而遠遠超過《荀子》。西漢以後，《禮記》由一部儒學短篇雜編上升爲泱泱大國的一部重要經典，這史實本身，就值得注意。

第二節 《禮記》的內容及其史料價值

由鄭玄作注而能夠傳世的《禮記》，共收四十九篇文字。目錄是：〈曲禮上〉第一，〈曲禮下〉第二，〈檀弓上〉第三，〈檀弓下〉第四，〈王制〉第五，〈月令〉第六，〈曾子問〉第七，〈文王世子〉第八，〈禮運〉第九，〈禮器〉第十，〈郊特牲〉第十一，〈內則〉第十二，〈玉藻〉第十三，〈明堂位〉第十四，〈喪服小記〉第十五，〈大傳〉第十六，〈少儀〉第十七，〈學記〉第十八，〈樂記〉第十九，〈雜記上〉第二十，〈雜記下〉第二十一，〈喪大記〉第二十二，〈祭法〉第二十三，〈祭義〉第二十四，〈祭統〉第二十五，〈經解〉第二十六，〈哀公問〉第二十七，〈仲尼燕居〉第二十八，〈孔子閑居〉第二十九，〈坊記〉第三十，〈中庸〉第三十一，〈表記〉第三十二，〈緇衣〉第三十三，〈奔喪〉第三十四，〈問喪〉第三十五，〈服問〉第三十六，〈間傳〉第三十七，〈三年問〉第三十八，〈深衣〉第三十九，〈投壺〉第四十，〈儒行〉第四十一，〈大學〉第四十二，〈冠義〉第四十三，〈昏義〉第四十四，〈鄉飲酒義〉第四十五，〈射義〉第四十六，〈燕義〉第四十七，〈聘義〉第四十八，〈喪服四制〉第四十九。

《禮記》這部儒學雜編，內容很龐雜，大體上可分成以下幾個方面：

有專記某項禮節的，體裁跟《儀禮》相近，如〈奔喪〉、〈投壺〉。

有專說明《儀禮》的，如〈冠義〉、〈昏義〉、〈鄉飲酒義〉、〈射義〉、〈燕義〉、〈聘義〉、〈喪服四制〉。它們是分別解釋《儀禮》中〈士冠禮〉、〈昏禮〉、〈鄉飲酒禮〉、〈鄉射禮〉、〈大射儀〉、〈燕禮〉、〈喪服〉各篇的，跟《儀禮》關係最爲密切。

有雜記喪服喪事的，如〈檀弓〉、〈曾子問〉、〈喪服小記〉、〈雜記〉、〈喪大記〉、〈奔喪〉、〈問喪〉、〈服問〉、〈問傳〉、〈三年問〉、〈喪服四制〉等。

有記述各種禮制的，如〈王制〉、〈禮器〉、〈郊特牲〉、〈玉藻〉、〈明堂位〉、〈大傳〉、〈祭法〉、〈祭統〉、〈深衣〉等篇。

有側重記日常生活禮節和守則的，如〈曲禮〉、〈內則〉、〈少儀〉等篇就是。

有記孔子言論的，如〈坊記〉、〈表記〉、〈緇衣〉、〈仲尼燕居〉、〈孔子閑居〉、〈哀公問〉、〈儒行〉等，這些篇大都是託名孔子的儒家言論。

有結構比較完整的儒家論文，如〈禮運〉、〈學記〉、〈祭義〉、〈經解〉、〈大學〉、〈中庸〉。

此外還有授時頒政的〈月令〉，意在爲王子示範的〈文王世子〉。

以上所列並非科學分類，只不過想通過它粗略地反映各篇的性質。

《禮記》是部儒學雜編，裏面包含儒家的思想史料相當豐富。研究早期儒家思想，需要讀《論語》；研究戰國秦漢時期的儒家思想，就不能不讀《禮記》了。讀《論語》能夠看到儒家學派的確立，讀《孟子》、《荀子》、《禮記》能夠看到儒家學派的發展。

從《禮記》這部書裏，可以看到儒家對人生的一系列的見解和態度。〈王制〉、〈禮運〉談到了儒家對國家、社會制度的設想。如〈禮運〉展示的理想是：「大道之行也，天下爲公，選賢與能，講信修睦。故人不獨親其親，不獨子其子，使老有所終，壯有所用，幼有所長，矜寡孤獨廢疾者皆有所養。男有分，女有歸。貨惡其棄於地也，不必藏於己；力惡其不出於身也，不必爲己……是謂大同。」這類光輝的語言，並不因爲年長日久而失去亮度，它極爲精煉地反映了我們祖先對美滿而公正的社會的強烈嚮往。

《禮記》有不少篇章講修身作人的像〈大學〉、〈中庸〉、〈儒行〉等篇就是研究儒家人生哲學的重要資料。專講教育理論的〈學記〉，專講音樂理論的〈樂記〉，其中精粹的言論，至今仍然有研讀的價值。

〈曲禮〉、〈少儀〉、〈內則〉等篇記錄了許多生活上的細小儀節，從中我們可以了解古代貴族家庭成員間彼此相處的關係。今天看來，這些細節極爲繁瑣、迂腐、呆板、缺乏生氣；不過有些地方，還是可以借鑑的。讀了這些篇，我們可以知道，說中國是個文明禮義之邦，絕不是個空泛的贊語。

《禮記》關於喪祭之類的篇章占了很大的比重。這類文字有四大特點：瑣碎、枯燥、難懂、遠離今天的生活。可是對於研究中國古代社會，特別是研究中國宗法制度的人們來說，實是珍貴的文字資料。其中有很多地方是對《儀禮．喪服》的補充和說明。

《禮記》中還有不少專篇是探討制禮深義的。這類文章是研究儒家禮治思想的重要依據。學例來說，〈昏義〉是解釋〈昏禮〉制定意義的專篇。一開始就解釋爲什麼要重視婚禮，說「昏禮者，將合二姓之好，上以事宗廟，而下以繼後世也，故君子重之」。所以要在家長主持下搞一套隆重禮節。從而得知，結婚一事之所以重要，儒家並不著眼於當事男女的幸福，而是：一，密切兩個家族的關係；二，男方死去的祖先，有人祭祀了；三，傳宗接代。儒家認爲，結婚只能是家族中的一件莊重的事，不是個人的美事。傳宗接代意味著新陳代謝，這樣，做人子的不能無所感傷，所以〈郊特牲〉說「昏禮不賀，人之序也」。鄭玄注說「序猶代也」。

此外，儒家對各種祭禮、喪禮、冠禮、鄉飲酒禮、射禮、聘禮等等，在《禮記》中也都有一套解釋。顯然，研究這些都有助於全面理解儒家的思想體系。

衆所周知，儒家思想中有對社會發展、人類進步起消極作用的部分，如全力維護等級制度，頑固宣揚男尊女卑等等。這些，在《禮記》中都得到了充分反映。

總之，《禮記》是了解和研究儒家思想的重要史料。

第三節 《禮記》的讀法及其參考書

讀《禮記》應該把注意力集中在正文和鄭注上。不要喧賓奪主，就是說不要忽視正文、拋開鄭注而花很大精力去看其它的注解書籍。

讀《禮記》應該把四十九篇文字分成幾大類去讀。篇章性質相近，資料範圍相同，就更容易索解。

讀《禮記》應該採取先易後難的辦法。按前面粗略的分類來說，可以先讀那些文字比較通暢的論文，如〈禮運〉、〈學記〉等篇；其次讀有關孔子言論的，如〈坊記〉、〈表記〉等篇，其次讀說明《儀禮》的，如〈冠義〉、〈昏義〉等篇；其次讀記述各種禮制的，如〈禮器〉、〈郊特牲〉等篇；其次讀記載生活日常禮節的，如〈曲禮〉、〈內則〉、〈少儀〉等篇；最後讀那一批有關喪事喪服的。

讀《禮記》要孤立難點。比如每讀一篇，凡看不懂的正文、鄭注，或對鄭的注解有所懷疑的地方，都一一標出。等讀完一篇後，回過頭來，再看《禮記正義》或其他注解書。《禮記》文字比《易經》、《尚書》、《儀禮》好懂些，每篇通過鄭注仍看不懂的地方，一般說來不會很多。把一些難詞難句集中起來，用有關注解書、工具書解決，這是比較省力省時的辦法。

五十幾年前，梁啓超在《要籍解題及其讀法》一書中，對讀《禮記》應該注意些什麼，提出了很有指導意義的意見。現摘錄其中比較重要的幾點。他說：

> 第一、記中所述唐虞夏商制度，大率皆儒家推度之辭，不可輕認為歷史上實事。即所述周制，亦未必文、武、周公之舊，大抵屬於當時一部分社會通行者半，屬於儒家理想者半，宜以極謹嚴的態度觀之。
>
> 第二、各篇所記「子曰……」、「子言之……」等文，不必盡認為孔子之言。蓋戰國秦漢間孔子已漸帶有神話性。許多神秘的事實皆附之於孔子，立言者亦每托孔子以自重，此其一。「子」為弟子述師之通稱，七十子後學者於其本師，亦可稱「子」。例如〈中庸〉、〈緇衣〉……或言採自子思子。則篇中之「子」亦可認為指子思，不必定指孔子，此其二。即使果為孔子之言，而輾轉相傳，亦未必無附益或失真，此其三。要之全兩部《禮記》所說，悉認為儒家言則可，認為孔子言則須審擇也。

他還强調指出：

> 當知此叢書並非出自一人一時代之作，其中各述所聞見、所主張，自然不免矛盾。故只宜隨文研索，有異同者則並存之，不可強為會通，轉生轇轕（ㄐㄧㄡ ㄍㄜ）。

應該說，梁氏的這些意見，對《禮記》的讀者確實是十分有益的提醒。

除鄭玄的《禮記注》之外，注解《禮記》的著作還有很多，其中最重要的就是唐代孔穎達的《禮記正義》。此外比較有名的還有：宋代衞湜的《禮記集說》，清代杭世駿的《續衞氏禮記集說》、清代朱彬的《禮記訓纂》、清代孫希旦的《禮記集解》。宋以下的這些注解書，卷帙浩繁，也不夠精審，不必通讀。十三經中唯《禮記》和《孝經》清人沒有作新疏，清人關於注釋《禮記》的著作，從總體的情況來看，還沒有超過唐人孔穎達《禮記正義》的。所以說，讀《禮記》的注解，還是應以鄭玄的《禮記注》爲主，孔穎達的《禮記正義》爲輔。其他著作只能算是參考書籍，聊備翻檢而已。

《春秋》

楊伯峻

第一節 《春秋》的名義

「春秋」是各國國史的通名，如《國語・晉語七》說：「羊舌肸（ㄒㄧ）習於《春秋》」，意思就是羊舌肸（又叫叔向）這個人，熟習各國史書。〈楚語上〉也說：「教之《春秋》」，就是說，對太子，用史書教授他。《墨子・明鬼篇》有「周之《春秋》」、「燕之《春秋》」、「宋之《春秋》」、「齊之《春秋》」，就是指周朝、燕、宋、齊諸國都有史書，墨子曾讀過。

《春秋》又是魯國史書的專名。各國史書有專名的，如晉國史書叫《乘》，楚國史書叫《檮杌》①。魯國史書專名《春秋》，所以《左傳・昭公二年》敍述晉平公派遣韓宣子（起）出使魯國，看到《易》、《象》和《魯春秋》。不過韓起所看到的《魯春秋》，一定是從周公姬旦敍起，才能說：「吾乃今知周公之德與周之所以王也。」而現存的《春秋》，才從魯隱公敍起。隱公父親惠公以上的魯國歷史原始記載已經完全亡佚。

至遲自西周起，就有太史記載國家大事，在每一季的開始，一般要寫「春」到「冬」四季的季節。但古人重視春季和秋季，因此把國史記載叫作「春秋」，這可能是「春秋」作爲史書名的來由罷。

現在，自秦以上，除魯國的《春秋》還較完整地存在外，若把《尚書》中的若干篇文獻不算，不用說西周、東周，就連春秋、戰國的各種史書（《戰國策》很難說是史書），都不存在了。西晉初在魏襄王墓中所發現的晉國、魏國史書，後人取名叫「竹書紀年」的，今天也只存在一個拼湊起來的殘本。

現存《春秋》，從魯隱公記述到魯哀公，歷十二代君主，計二百四十四年（依《公羊傳》和《穀梁傳》載至哀公十四年止，爲二百四十二年，《左氏經》多二年），它基本上是魯國史書的原文。

第二節　《春秋》作者

《公羊傳》、《穀梁傳》都在襄公二十一年十一月寫「庚子，孔子生」，《左氏經》雖然沒有這一條，但於哀公十六年寫「夏四月己丑，孔丘卒」，可以想像《春秋》和孔丘有一定關係。但孔丘不可能寫自己某日死，也不會寫自己某日生，這一「生」一「卒」，自然不會是孔丘自己筆墨。卻自《左傳》作者以來，都說《春秋》是孔丘所修，《公羊傳》甚至說有未曾經過孔丘修改的原本《春秋》，叫「不脩春秋」；現今的《春秋》，則是經過孔丘所修改過的。孟子甚至說，《春秋》是孔丘著作的。這些都是不可憑信的推測之辭。

我們研究《春秋》本身，發現它前後筆調不一致，可以說是體例不純罷，略舉下列幾點作爲例證。

㈠在隱公和桓公時，若不是魯國卿大夫，無論國際盟會或者統軍作戰，都不寫外國卿大夫的姓名。到莊公二十二年，《春秋》才寫「及齊高傒盟於防」，這是和外國卿大夫結盟寫出外國卿大夫姓名的開始。文公八年春寫「公子遂會晋趙盾；盟於衡雍」，這是盟會魯國和外國的卿大夫都寫出姓名的開始。

㈡隱公、桓公、莊公、閔公四公時，外國卿大夫統軍出外征伐，都只稱「某人（即某國人）」，如隱公二年：「鄭人伐衞」。到僖公十五年，才寫「公孫敖（魯之孟穆伯）帥師及諸侯之大夫救徐」。寫「諸侯之大夫」，還不寫出大夫的姓名；到文公三年，才寫「晋陽處父帥師伐楚以救江」，寫明了外國統帥姓名；到宣公六年才寫「晋趙盾、衞孫免侵陳」，兩國率領軍隊之卿大夫都寫出。直到成公二年，魯國及各國統帥都歷歷寫出：「季孫行父、臧孫許、叔孫僑如、公孫嬰齊（四人皆魯卿大夫）帥師會晋郤克、衞孫良夫、曹公子首及齊侯戰於鞌（ㄢ），齊師敗績」，各國統軍之官都一一寫明。

㈢在僖公以前，《春秋》多稱某國君爲某人，不稱某侯。如隱公十年：「翬（公子翬，魯卿大夫）帥師會齊人、鄭人伐宋。」從傳文，經所謂「齊人」，實是齊僖公；「鄭人」，實是鄭莊公，但不書「齊侯」「鄭伯」。僖公以後，僅秦、楚兩國之君有時稱「秦人」「楚人」。宣公五年以後，就是秦、楚兩國之君也不稱「人」，而稱「秦伯」、「楚子」。

這類例子還很多，這是古人所謂「書法」。書法的意義何在？前人說孔丘意在「寓褒貶，別善惡」；但深入研究，並不如此。只是因爲時代推移，形勢變動，太史有死者，有繼承者，因此各不相同而已。

古本《竹書紀年》，是晉國、魏國的歷史文獻，西晉的杜預親自看見剛出土的竹簡，在其《春秋左傳集解後序》中說：「其〈紀年篇〉……大似《春秋經》。」唐代劉知幾也看到這書，在《史通・惑經篇》中也說：「《竹書紀年》，其所記事，皆與《魯春秋》同。」就《公羊傳》和《穀梁傳》以及董仲舒《春秋繁露・深察名號篇》所極度推崇的僖公十六年《春秋》的「隕（《公羊》作「霣」，同）石於宋五」的一條說，不過記載那天宋國有隕星，落下五塊石頭罷了。這種措辭構句沒有什麼奇怪，而《公羊傳》等却越說越離奇，董仲舒認為這是「君子於其言，無所苟而已」②。其實，根據《史通・惑經篇》所引《竹書紀年》，也是「隕石於宋五」。可見這是宋國的天象，宋國把它通報諸侯，各國史官記了下來，何嘗是孔丘的筆墨？《禮記・坊記》曾經兩三次引用《魯春秋》，就是《公羊傳》所謂「不脩春秋」，也和今天的《春秋》基本相同。因此，我們認為下列諸人的說法是正確的：

孔穎達《左傳正義》說：

> 推尋經文，自莊公以上弒君者皆不書氏，閔公以下皆書氏，亦足以明時史之同異，非仲尼所皆貶也。

宋鄭樵《春秋考・自述》說：

> 按《春秋》之經，則魯史記也。

他還說：

> 以《春秋》為褒貶者，亂《春秋》者也。

劉克莊說：

《春秋》，史克之舊文也。

清人袁谷芳《春秋書法論》說：

《春秋》者，魯史也。魯史氏書之，孔子錄而藏之，以傳信於後世者也。

石韞玉《獨學廬初稿・春秋論》也說：

《春秋》者，魯史之舊文也。《春秋》總十二公之事，歷二百四十年之久，秉筆而書者必更數十人。此數十人者，家自為師，人自為學，則其書法，豈能盡同？

那麼，《春秋》和孔丘究竟有什麼關係呢？我認爲，孔子教學生，不能不敎他們近代和現代史，《春秋》一書，孔子不過曾用它作過教本罷了。《春秋》本是魯國官書，由此傳到民間，由孔門弟子傳述下來，孔門弟子或者加上孔子生的年月日，或者加上孔子死的年月日，以此作爲紀念而已。

第三節　對《春秋》的評價

《春秋》這書，今天如何評價？

第一，它既是魯國史官所記當時之大事，必然基本上是可信的。我們從所記日蝕和其他天象可以得到證實。《春秋》記載日蝕三十六次，而襄公二十一年九月初一、十月初一的連兩次日蝕，又二十四年七月初一、八月初一的兩次日蝕；相連兩月初一而日蝕，前人叫做「比食」，雖然並非沒有這種可能，但在同一地兩次日蝕都能見到，却沒有可能性。尤其在前一次是全蝕或環蝕之後，絕不能於下月初一又發生日蝕。因之襄公二十一年十月初一的日蝕可能是誤認或者誤記；襄公二十四年八月的日蝕可能是錯簡（好比今天的書頁次序裝訂錯亂了）。除這兩次而外，實記載三十四次，而三十三次據現代較精密的科學方法追算，是可靠的。這是古人所不能僞造的。

又譬如莊公七年記載「星隕如雨」，這是公元前六八七年三月十六日所發生的天琴星座流星雨記事，而且是世界上最早的一次記載。不是當時人看到，當時史官加以記載，誰也不能假造。還有文公十四年的「秋七月，有星孛入於北斗」，這是世界上對哈雷彗星的最早記錄，也是無法假造的。

另外，上文已經說明，《春秋》的記事，和《竹書紀年》（古本，即汲冢本）可以互相印證。尤其是關於春秋時代一段，書法也相同。而且，從出土不少青銅器銘文中和若干古文物中，也足以證明《春秋》的可信。如隱公二年「無駭（魯國卿）帥師入極」，極國就是金文中「遽」；又如隱公四年「莒人伐杞」，清光緒年間，在山東新泰縣出土杞伯器多種，因之可以推定春秋前杞國國都所在；又如隱公五年「衞師入郕」，從古青銅器和泉（錢幣）文中知道郕國古本作「成」，後來才加「邑」（「阝」）旁寫作「郕」。文公元年：「楚世子商臣弒其君頵」，今傳世青銅器有楚王𩓣鐘，銘文云：「楚王頵自作鈴鐘」，足證楚成王名頵。又如襄公十七年「邾子牼（ㄎㄥ）卒」，邾子牼即邾宣公，名「牼」，可是《公羊》《穀梁》「牼」皆作「瞯」，而端方《陶齋吉金錄》有邾公牼鐘四器，可證《左氏經》正確。這些僅僅是少數例子，已足以證明《春秋》是可信史料。

第二，《春秋》所記，是二百四十多年的春秋各國大事，目前所存全文，不過一萬六千多字，但據曹魏時的張晏和晚唐時人徐彥引《春秋說》，都說是一萬八千字（張說見《史記·太史公自序·集解》引，徐說見《公羊傳·昭公十二年疏》引），可見《春秋》原文，從三國以後脫漏了一千多字，很多大事漏記。再以日蝕而論，春秋二百四十二年間，魯都曲阜可以見到的日蝕在六十次以上，《春秋》僅記載了一半，另外一半或者失載，或者脫落了。《春秋》載魯國女公子出嫁的僅七次，難道在十二代君主中，一共只有七個女孩出嫁？而且宣公十六年有「郯伯姬來歸」，成公五年又有「杞叔姬來歸」，這兩位女公子，只記載她們被男方拋棄回娘家，却未記載她們的出嫁，又是什麼緣故呢？又如鄟國在哀公三年時早已屬魯所有，《左傳》和《公羊傳》《穀梁傳》都說《春秋經》條例之一是「重地」（見《公羊傳·襄公二十一年》和《左傳·昭公三十一年》），爲什麼魯兼併鄟國土地却不記載呢？漏記情況還不少。拿今天輯本《竹書紀年》和《春秋》比較，就有若干條爲《春秋》所應有而未有，是脫落，還是失載，就難說了。

第三，《春秋》是粗線條的筆墨。譬如宣公二年《春秋》「秋九月乙丑（二十六日）晉趙盾弑其君夷皐」。其實，殺晉靈公（名夷皐）的不是趙盾，而是趙穿，趙盾可能是指使者，也可能不是。其中有一段曲折，《左傳》有詳細敍述。若沒有《左傳》，誰知道其中底蘊？又如莊公二十六年《經》，「曹殺其大夫」；僖公二十五年《經》，「宋殺其大夫」，兩條《春秋》都沒有《傳》來說明，究竟殺人者是君是臣，被殺者又是誰，爲什麼被殺，怎樣被殺的，從《春秋》經文僅僅五個字中，誰也看不出。杜預也不懂，只得說「其事則未聞」。王安石譏諷《春秋》

是「斷爛朝報」③，很可能就是對《春秋》殘缺的不滿意。

《春秋》本有自己的單行本，其後和各種傳文按年合併，先經後傳，即《春秋公羊傳》、《春秋穀梁傳》和《春秋左氏傳》。三種《傳》的《春秋經》文字基本上相同，也有一些差異，等下面講《三傳》時，再具體論述。

①見《孟子・離婁下》。
②本孔丘語，見《論語・子路篇》。
③見蘇轍《春秋集解・自序》。

《左傳》

楊伯峻

第一節　《左傳》的傳授過程

前一章講到《春秋》一書。因爲《春秋》敍一件事，只是寥寥幾個字，很不容易了解，於是後人有給它作解說的「傳」。根據《漢書・藝文志》，解說《春秋》的「傳」有五家：

㈠《左氏傳》三十卷
㈡《公羊傳》十一卷
㈢《穀梁傳》十一卷
㈣《鄒氏傳》十一卷
㈤《夾氏傳》十一卷

但《漢書・藝文志》又說：「鄒氏無師」，就是沒有人爲它傳授下來。又說：「夾氏未有書」，連成文的課本都沒有。因此，現在所存的只有《左氏傳》《公羊傳》和《穀梁傳》三種。《左氏傳》簡稱《左傳》。古代《春秋》和「三傳」（即左、公、穀）本「各自單行」，就是

《春秋》是一種書，《左氏》《公羊》《穀梁》三傳各自單獨成書。《左傳》不附《春秋》「經」文，是肯定的。到後來，《春秋》經文按年分別寫在《左氏傳》文每年之前，成了目前這種本子。《左氏傳》成於戰國時，本是用戰國時文字寫的。到漢朝，通行當時的隸書。《公羊傳》和《穀梁傳》寫於漢代，當然是用漢隸寫的。所以便把《左氏傳》叫「古文」（「文」就是「字」），《公羊》和《穀梁》叫「今文」。《公羊傳》和《穀梁傳》兩者「立於學官」，就是在國立大學開設專門課程，請專家講授；《左氏傳》却只在民間傳授。

《左傳》的流行，在戰國已經開始。現在舉出幾條確鑿無疑的證據。

㈠戰國時，楚威王時有個太傅叫鐸椒的，曾經摘鈔《左傳》，寫過一本叫《抄撮》書，僅八卷。《抄撮》，在《史記·十二諸侯年表序》名爲《鐸氏微》，《漢書·藝文志》說《鐸氏微》只有三篇。

㈡戰國趙孝成王時，宰相虞卿也採取《左氏傳》，寫了八篇，叫《虞氏春秋》，既見於《十二諸侯年表序》，又見於《史記·虞卿列傳》。《虞氏春秋》，根據孔穎達《春秋左氏經傳集解序》的《疏》引劉向《別錄》，也叫《抄撮》，一共九卷，似乎比鐸椒的《抄撮》豐富一些。

㈢西晉武帝咸寧五年，有個汲郡人，名字叫不準，盜掘魏襄王墓，發現一本名叫《師春》的書，完全抄錄了《左傳》有關卜卦占筮的文字，連上下次第都沒有變動。杜預和束皙（ㄒㄧ）都親眼看到這書，並且認爲師春是抄錄者的姓名。

由以上三事看來，《左傳》已被戰國時人所愛好，並且採摘成書。

到漢代，漢高祖劉邦的謨誥便引用過《左傳》，漢初的張蒼，曾爲秦朝御史，主持四方所上文書，也曾從荀卿學習《左傳》，張蒼又把《左傳》傳給賈誼，賈誼又傳授到自己孫子賈嘉，賈嘉傳給河間獻王博士貫公，貫公又傳給自己小兒子貫長卿，貫長卿傳給張敞和張禹，張禹傳給蕭望之和尹更始，尹更始傳給自己兒子尹咸和翟方進及胡常，胡常傳給賈護，賈護傳給陳欽。西漢末，劉向、劉歆父子整理古籍，發現孔壁中古文《左氏傳》，又從尹咸和翟方進學習《左傳》。這是西漢一代私人傳習《左傳》的過程。

第二節　《左傳》是怎樣解說《春秋》的

劉向、劉歆父子都喜愛《左傳》，劉向作《新序》《說苑》《列女傳》等書，採用不少《左傳》的內容。劉歆曾竭力爭取使《左傳》「立學官」，在國立大學開設專門課程。但遭到守舊派的一些人反對，反對理由之一，說《左氏》爲不傳的《春秋》。《左傳》究竟「傳」或者「不傳」《春秋》，必須由《左傳》自己說話。我們考察《左傳》，肯定它是「傳」《春秋》的。它傳《春秋》有幾種方式。

第一種方式是說明書法。如隱公元年《春秋》：

元年春王正月

《左傳》則說：

元年春，王周正月，不書即位，攝也。

傳文對經文作了二個解釋。第一個解釋「王正月」的「王」，《左傳》在「王」下加一「周」字，說明這王是周王，也就說明，這個「春正月」是遵循周王朝所頒布的曆法而定的。第二個解釋是，因爲依照《春秋》條例，魯國十二君，於其元年，應該寫「元年春王正月公即位」，而隱公元年却沒寫「公即位」三字，《左傳》加以解釋，因爲隱公只是代桓公攝政，所以不寫「公即位」。這個理由是有根據的。隱公元年冬十月，改葬隱公和桓公的父親惠公，隱公却不爲喪主，便是不敢以君主繼承者自居，傳文也明白地表示惠公在世，桓公已被主爲太子，一也。二年冬十二月，桓公的母親子氏死了，用夫人禮，史書「薨」；而隱公自己母親於第三年夏四月死了，却不用夫人禮，只寫「君氏卒」，便說明隱公自己只是攝政（代行政事）者，桓公實際將爲正式魯君，所以用夫人禮對待桓公母，而對待自己母親却不用夫人禮，二也。隱公五年九月「考仲子之宮」，就是替桓公之亡母別立一廟而落成之，這表示對待桓公之母何等尊重，也就表明隱公之把幼小的異母弟桓公視爲魯君，三也。隱公十一年傳：

羽父（即公子翬）請殺桓公，將以求大（同「太」）宰。公曰：「為其少故也，吾將授之矣。使營菟裘（地名），吾將老焉。」

就是說羽父請求隱公允許他把桓公殺死，他自己以此要求太宰的官。隱公說：「因爲他（桓公）年輕，所以我代他爲君主，我不久便把君位交還給他。我已派人在菟裘這地建築房屋，打算在那兒過老。」這更表明隱公無意於留戀君位，這是證據之四。由此足以說明《左傳》之說隱公代桓公攝行政治，完全是當時史實，魯太史因此不書隱公即位。這種說明「書法」之處很多，這不過是一例罷了。

第二種方式是，用事實補充甚至說明《春秋》。魯隱公實是被殺而死。羽父求隱公殺桓公，隱公不同意，並且表明本心，但隱公太不警惕了，對羽父這樣的壞人未加處置。羽父反而害怕，因此向桓公挑撥，這樣，隱公被暗殺，並且使某些無辜者作了替罪羊。而《春秋》只寫「公薨」二字，好像是病死的。《左傳》便把這事源源本本敍述出來。

第三種方式是訂正《春秋》的錯誤，如襄公二十七年《春秋》：

十有二月乙亥朔，日有食之。

《左傳》則是：

十一月乙亥朔，日有食之。（下略）

「日有食之」是當時習慣語，等於今天說「日蝕」。《春秋》和《左傳》只有一字之差，《春秋》是「十二月」，《左傳》是「十一月」。《左傳》有一條例，杜預叫做「傳皆不虛載經文」。意思是《左傳》作者，如果對《春秋》經文某些條文沒有補充、修改或說明，便不爲這條經文立傳，所以《左傳》中有不少經文沒有傳文。這一條傳文，則是《左傳》作者訂正《春秋》經文的錯誤。根據古代天文曆法家，如後秦姜岌（世界第一位能追算日食並發現蒙氣差的天文學家）、元代郭守敬（元代大天文學家、水利專家和儀器製造家）等人的計算，實是十一月乙亥朔入食限；根據今法計算，這是當時公曆十月十三日的日全蝕，丁亥朔應在周正十一月，日蝕就在這天。《春秋》作「十二月」，可能是當時的筆誤，也可能爲後人的誤鈔，而《左傳》作者根據更可靠的資料改訂爲「十一月」。

第四種方式是，《春秋》經所不載的，《左傳》作者認爲有必要寫出來流傳後代，於是有「無經之傳」。《左傳》開頭便寫了「惠公元妃孟子」一段，這本是和「元年春王正月」相連結爲一章的，因後人分經之年，每年必以「元年春」開始，有時便截斷上下文，把「元年春」的上文截置於上年傳尾。這一段也是如此，還不能算是「無經之傳」。以隱公元年論，《春秋經》共七條，都有《傳》；《傳》有十四條，有七條是「無經之傳」，而且傳文都說明太史所不書於《春秋》的緣故，這些都是對《春秋》史料缺失的補充。《春秋》經文僅一萬六千多字，除掉無傳之經，還不足一萬字，而傳文則有十八萬多字，絕大多數是敍述史實的，而且行文簡煉含蓄，流暢活潑；描寫人物，千姿百態，如聞其聲，如見其人，旣是較可信史料，又可作爲文學作品欣賞。如果沒有《左傳》，《春秋》的價値便會大大下降。例如魯莊公二十六年《春秋經》：「曹殺其大夫。」僖公二十六年經又書：「宋殺其大夫。」這兩條都沒有傳來說明或補充，那麼，殺者是誰，被殺者又是誰，爲什麼被殺，其經過如何，一切無法知道。杜預作注，也只得說「其事則未聞」。無怪乎東漢初桓譚在《新論》中說：

> 《左氏傳》於《傳》，猶衣之表裏相待而成。《經》而無《傳》，使聖人閉門思之十年，不能知也。

這是《經》待《傳》而明的例子。也有《傳》待《經》而明的例子。如成公十七年《經》：

> 夏，公會尹子、單子、晉侯、齊侯、宋公、衛侯、曹伯、邾人伐鄭。

《傳》却說：

> 公會尹武公、單襄公及諸侯伐鄭，自戲童至於曲洧。

《傳》僅說「諸侯」，如果沒有《經》所記載的「晉侯、齊侯」等，離開了《經》，誰也不知道「諸侯」是哪些國君。桓譚說《經》不能離開《左傳》；其實，《左傳》也不能離開《春秋經》。

由此，可以得一結論：《左氏傳》是「傳」《春秋經》的。它和《春秋經》相結合，正如桓譚所論，好比衣服之有表有裏，不過它的「傳」《春秋》是根據大量可靠史料來補充，甚至訂正《春秋》脫漏和錯誤的，也有說明「書法」的，不像《公羊傳》《穀梁傳》多逞臆說罷了。

第三節 《左傳》著作年代

在《史記·十二諸侯年表序》說《左氏春秋》（即《左傳》）成於左丘明，西漢初的嚴彭祖甚至說，孔丘和左丘明一同到周王朝看所藏史料，一個作《春秋經》，一個作《左氏傳》（見《春秋左氏經傳集解序》孔穎達《正義》引沈氏說），這些話雖然是西漢人說的，卻不能相信。左丘明個人，見於《論語·公冶長篇》：

> 子曰：「巧言、令色、足恭，左丘明恥之，丘亦恥之。匿怨而友其人，左丘明恥之，丘亦恥之。

孔丘引左丘明以自重，說明其人至少和孔丘同時，年齡或許還大於孔丘。可是《左傳》最後記事到魯哀公二十七年，最後一段說明智伯被滅，還稱趙無恤爲襄子，足以說明《左傳》之作在趙無恤死後。智伯被滅距孔丘之死已經二十六年，距趙襄子之死已經五十三年。孔丘活到七十二歲，假若左丘明和孔丘同年，趙無恤死時他已一百二十五歲，即使還活着，怎麼還能著書？

根據上文說楚威王太傅鐸椒曾經採擇《左傳》作《抄撮》，那在公元前三二九年（楚威王末年）以前《左傳》便已流行，《左傳》當完成於公元前三二九年以前。閔公元年《左傳》說：

（上略）大子申生將下軍，趙夙御戎，畢萬為右，以滅耿、滅霍、滅魏。……賜畢萬魏，以為大夫。……卜偃曰：「畢萬之後必大。……」初，畢萬筮仕於晉，……辛廖占之，曰：「吉。……公侯之卦也。公侯之子孫，必復其始。」

畢萬本是周代畢國的後代，到他本人，早已國滅人微，淪爲一般自由民。到此時，剛到晉國做官，得到魏邑的賞賜，職位爲大夫。《左傳》作者說畢萬所占得的卦是「公侯之卦」，他的後代一定會「復其始」，意思是恢復爲國君。《左傳》作者好講預言。預言靈驗的，便是《左傳》作者所目見耳聞的；不靈驗的，便是預測錯了，他未嘗料想到的。他說畢萬之後代一定昌盛而恢復爲公侯，證明他曾見到魏文侯爲侯，却不曾見到其後稱王。那麼，由此可以推測，《左傳》作於周威烈王二十三年（四〇三），即魏斯稱侯以後。《左傳》作者不可能是左丘明，因此，我們不糾纏作者爲誰的問題。但著作年代却在戰國初期，公元前四〇三年以後。

宣公三年《左傳》說：

成王定鼎於郟鄏（ㄖㄨˋ），卜世三十，卜年七百。

這裏有個問題：周的世數和年數應從文王計算起，還是從武王滅紂後算起，還是根據這段文字從成王定鼎算起。我認爲「成王定鼎於郟鄏」，只是說明卜世卜年的時間和背景，而卜世卜年應該包括周王朝所傳之世、取得之年，至遲應該從武王算起。《晉書·裴楷傳》說：「武帝初登阼，探策以卜世數多少。」這也是從西晉開國計算起，正和成王卜世相類。《漢書·

律曆志》說：「周凡三十六王，八百六十七歲。」西、東周總共三十四王，〈律曆志〉說「三十六王」，是把東周的哀王和思王計算在內。若說卜世三十，到安王便已三十王。安王末年（二十六年）爲公元前三七六年，東周年代近四百年，加上西周約三百年，《左傳》成書年代很難到周安王年代。我們可以大膽推定，《左傳》成書在公元前四〇三年以後，公元前三八六年前，離魯哀公末年約六十多年到八十年。

第四節　怎樣讀《左傳》

《春秋左氏傳》是一部重要典籍，研究先秦史者固然必須讀它，研究先秦文學者也一定要讀它。但它所包括的內容比較豐富，某些地方不大容易理解。從西漢賈誼作《春秋左氏傳訓故》以來，便不斷有人替《左傳》作注釋，但在西晉杜預作《春秋左氏經傳集解》以後，以前那些注釋《左傳》的書都已先後亡佚。杜預作《集解》時，還見到十多家注解《左傳》的書，也曾採用西漢末劉歆、後漢賈徽、賈逵父子、許淑、潁容之說，爲什麼沒有採用當時尚存的服虔《春秋左氏傳解》（見《後漢書・儒林傳下》）呢？孔穎達《正義》認爲「服虔之徒，殊劣於此輩（指上文劉、賈、許、潁五家），故棄而不論也」。杜預作《集解》，的確費了很大功力。他自稱有「左傳癖」。他作《集解》之外，還有《春秋釋例》、《春秋經傳長曆》等書，可惜都已散佚。《春秋釋例》，《永樂大典》中尚存三十篇，其餘則僅存於孔穎達《正義》的引文中。《春秋左傳注疏》是《十三經注疏》之一，今天還有參考價值。

杜預以後還有一些關於《左傳》的著作，但比較完善的却沒有。清洪亮吉《左傳詁》，著筆不多，有意排斥杜預的注釋，而引用賈逵、服虔之餘說較多，談不到通釋《左傳》。劉文淇有意作《春秋左氏傳》新疏，可惜他和他的兒子、孫子幾代用功，還僅寫到襄公初爲止。而且從今天看來，難以使人滿意。一則爲他們所處時代所限制，缺乏科學性；二則劉氏過於相信《周禮》，用《周禮》來套《左傳》，往往齟齬（ㄐㄩˇㄩˇ）不合，反而不如孫詒讓的《周禮正義》，能夠求學術之眞。

最近楊伯峻的《春秋左傳注》已經出版，和《春秋左傳注》相配合的有沈玉成的《左傳譯文》（已出版），楊伯峻的《春秋左傳詞典》也即將出版。這是目前通釋《春秋左傳》的一部較用功力的書。作者廣泛採取古今中外有關春秋一代歷史的研究成果，加以己意，務求探索本意，不主一家之言。尤其重視更可靠的資料，如引用有關甲文、金文、地下發掘文物等加以印證，是一部較好的《春秋左氏傳》注本。

《公羊傳》和《穀梁傳》

楊伯峻

第一節　《公羊傳》《穀梁傳》著作和傳授

《春秋》三傳的次第，根據陸德明（六朝陳至唐太宗時人）《經典釋文・序錄》，爲《左傳》《公羊》《穀梁》，因此後代講「三傳」，多依此爲次序。

《左傳》爲先秦著作，最初是用西漢以前文字，如小篆、或大篆寫的。大、小篆對西漢當時通用的隸書說，是古文字，所以叫「古文」。《公羊》和《穀梁》，先是口耳相傳，到漢代才寫成定本，自然是用當時漢隸寫的，所以叫「今文」。

《公羊傳》的傳授，據東漢何休《春秋公羊傳・序》（「傳」字阮刻本無，今據《公羊校勘記》補）唐徐彥《疏》所引戴弘序說：

> 子夏傳與公羊高，高傳與其子平，平傳與其子地，地傳與其子敢，敢傳與其子壽。至漢景帝時，壽乃共弟子齊人胡毋（音「無」）子都著於竹帛。

《公羊傳・隱公二年》「紀子伯者何，無聞焉爾」何休注也說：

其說口授相傳，至漢，公羊氏及弟子胡毋生等乃始記於竹帛。

「生」是「先生」之意，胡毋生就是胡毋子都。由此可以證明，《春秋公羊傳》到漢景帝時才寫定。

唐楊士勛《春秋穀梁傳序．疏》云：

穀梁子名淑（案「淑」，當依《穀梁校勘記》作「俶」），字元始，魯人。一名赤。（案：顏師古《漢書．藝文志注》又以為名喜）受經於子夏，為經作傳，故曰《穀梁傳》。傳（「傳」字阮刻本無，今從《校勘記》所引毛本補）孫卿，孫卿傳魯人申公，申公傳博士江翁。其後魯人榮廣大善《穀梁》，又傳蔡千秋。漢宣帝好《穀梁》，擢千秋為郎，由是《穀梁》之傳大行於世。

由這二段文字看，有二點和現今研究結論不同。一點是《公羊傳》《穀梁傳》同出於子夏的傳授，這點未必可信，以後再談。一點是《穀梁傳》作者爲穀梁俶（一名赤），他是子夏弟子，自是戰國初人，比《公羊傳》到漢景帝時才寫定的應早若干年，而且寫於戰國初，應該是用古文寫的，這一點更難相信。陸德明《經典釋文．序錄》說「穀梁赤乃後代傳聞」，楊士勛很可能是貞觀時人，陸德明在貞觀十六年前已經高年逝世，未必能知道楊士勛所說《穀梁傳》傳授內容。陸德明說「穀梁赤乃後代傳聞」，或者另有所據，所以他定三傳次序，以《穀梁傳》在最後。

《四庫全書總目提要》也不相信楊士勛的說法，認爲「《穀梁》亦是著竹帛者題其親師，故曰《穀梁傳》」。下文可以證明《穀梁傳》成書更在《公羊傳》之後。

第二節 《公》《穀》同出子夏的不可信

關於《公羊》，據戴弘〈序〉，「子夏傳與公羊高」。關於《穀梁》，據楊士勛《疏》，「穀梁子受經於子夏」，則是《公》《穀》同源，同出於子夏的傳授。同一《春秋經》，子夏自然可以授與不同弟子，但只應大同小異，互有詳略，不能自相矛盾，更不會自相攻擊。如今我們研究《公羊傳》和《穀梁傳》，發現不但兩傳矛盾之處很多，而且有《穀梁》攻擊《公羊》處，茲略舉三例。

第一例，《春秋經．隱公五年》：

九月，考仲子之宮。

《公羊傳》說：

考宮者何？考猶入室也，始祭仲子也。桓未君，則曷為祭仲子？隱為桓立，故為桓祭其母也。然則何言爾？成公意也。

《穀梁傳》卻說：

考者，成之也，成之為夫人也。禮，庶子為君，為其母築宮，使公子主其祭也。於子祭，於孫止。仲子者，惠公之母。隱孫而修之，非隱也。

試比較兩傳，大不相同。第一，解釋「考」字不同，《公羊傳》以爲「考宮」是把仲子神主送入廟室而祭祀她；《穀梁傳》卻認爲這是完成以妾爲夫人之禮。第二，對仲子這人認識不同。《公羊傳》認爲仲子是魯惠公妾，《穀梁傳》卻認爲是魯孝公妾，惠公庶母，同時也是生母。第三，《公羊傳》認爲「考仲子之宮」是完成隱公讓位桓公的夙願，無可非議。《穀梁傳》却認爲隱公爲孫，違背「於孫止」的禮而祭祀庶祖母，應該被譴責。同一子夏所傳，而矛盾如此，豈非咄咄怪事？

第二例，僖公二十二年宋襄公和楚成王戰於泓（今河南柘城縣北三十五里），因爲宋襄公不想在敵人半渡時以及立足未穩時發動攻擊，兩次失掉進攻得勝機會，講究「蠢豬式的仁義」，結果吃了大敗仗。《公羊傳》極度誇獎宋襄公，說什麼「雖文王（周文王）之戰不過此也。」《穀梁傳》却提出作戰原則：「倍則攻（我軍倍於敵人，便發動進攻），敵則戰，少則守」，認爲宋襄公違背這原則，簡直不配做個人！責罵得何等憤慨！對同一人的同一行動，評價完全相反；《公羊》是捧上天，《穀梁》却貶入地，豈能出於同一師傳？

第三例，《春秋經・宣公十五年》云：

冬，蝝（音沿，食穀物蟲）生。

《公羊傳》云：

未有言「蝝生」者。此其言蝝生何？蝝生不書，此何以書？幸之也。幸之者何？猶曰受之云爾。受之云爾者何？上變古易常，應是而有天災，其諸則宜於此焉變矣。

所謂「上變古易常」，何休注云：「上謂宣公，變易公田古常舊制，而稅畝。」《公羊傳》作者認爲，由於魯國初次實行按田畝收賦稅制度，上天於是降蝝爲災，魯國實該受罰。幸而這種天罰還不大。這種解釋，講天人關係，一點不合科學道理。但《穀梁傳》却說：

非災也。其曰蝝，非稅畝之災也。

這是對《公羊傳》的批判和駁斥。一個說，蝝生由於實行「初稅畝」；一個說，蝝生不是由於實行「初稅畝」。假如這截然相反的兩說都出於子夏，子夏是孔門弟子，後期大儒，這便是他自己打自己一掌響亮的耳光。我想，子夏不會做出這等事。

總之，無論公羊高或者穀梁赤，都未必是子夏學生。托名子夏，不過借以自重罷了。

《四庫全書總目提要·春秋公羊傳注疏》說：

> 今觀傳中有「子沈子曰」「子司馬子曰」「子女子曰」「子北宮子曰」，又有「高子曰」「魯子曰」，蓋皆傳授之經師，不盡出於公羊子。定公元年傳「正棺於兩楹之間」二句，《穀梁傳》引之，直稱「沈子」，不稱「公羊」，是並其不著姓氏者，亦不盡出公羊子。且並有「子公羊子曰」，尤不出於（公羊）高之明證。

這一段話證明，《公羊傳》不出於公羊高，自然更非子夏所傳了。《四庫提要·春秋穀梁傳注疏》又說：

> 《公羊傳》「定公即位」一條引「子沈子曰」，何休《解詁》以為後師（案：此條在《公羊傳·隱公十一年》「子沈子曰」下，何休注云：「子沈子，後師。」），此傳「定公即位」一條亦稱「沈子曰」。《公羊》《穀梁》既同師子夏，不應及見後師，「初獻六羽」一條（案：在隱公五年），稱「穀梁子曰」，傳既穀梁自作，不應自引己說。且此條又引「尸子曰」。尸佼為商鞅之師，鞅既誅，佼逃於蜀，其人亦在穀梁後，不應預為引據。

《四庫全書總目提要》所論正確。無論《公羊》《穀梁》既不出於子夏所作，《穀梁》更不作於戰國。《公羊傳》若說作於漢景帝時，大致可信。至於《穀梁傳》肯定又晚於《公羊傳》。

第三節 《穀梁傳》出於《公羊傳》後

上文第二節第三例論「蝝生」，《穀梁傳》的論點是：「其曰蝝，非稅畝之災也。」因為魯宣公十五年，初次實行按田畝收稅制，《公羊傳》以為這是「變古易常」，因之遭致天譴，罪有應得。《穀梁傳》加以駁斥，認為蝝生和稅畝無關。一定先有某種論點，然後才有人加以反對。由此足以證明，《公羊傳》在前，《穀梁傳》在後。現在再根據宋人劉敞《春秋權衡》所提證據略加介紹，並予修訂補充：

第一證，《春秋．隱公二年經》：

無駭帥師入極。（「駭」，《穀梁》作「侅」，同。）

《公羊傳》說：

無駭者何？展無駭也。何以不氏？貶。曷為貶？疾始滅也。（中略）其言入何？內大惡，諱也。

《穀梁傳》說：

入者，內弗受也。極，國也。苟焉以入人為志者，人亦入之矣。不稱氏者，滅同姓，貶也。

我們試比較二傳同異，有相同處，兩者都對「經」文「入」字和「展無駭」（侅）省稱「無駭（侅）」加以解釋。但《穀梁傳》說得比較明確，極可能是採用《公羊傳》的論點加以補充。

《公羊傳》只說貶不稱氏，因爲痛恨在春秋時代開始滅人之國。《穀梁傳》却說「不稱氏者」，因爲所滅是同爲姬姓之國。解釋「入」字，《公羊傳》只是諱內大惡。什麼是「內大惡」，毫無交代，使後人如墜五里霧中。《穀梁傳》却認爲魯隱公及無駭以强大軍力開進別人之國，別國之人並不願接受這種敵軍。並且警告說，你以開入他國爲心，別國也會將大軍開進你的國家。兩相比較，《穀梁傳》似乎採擇《公羊傳》而加以修飾潤色了。

第二證，《春秋．隱公八年經》：

冬十有二月，無駭卒。（「駭」，《穀梁》作「侅」，同。）

《公羊傳》云：

此展無駭也。何以不氏？疾始滅也，故終其身不氏。

《穀梁傳》則說：

無侅之名未有聞焉。或曰，隱不爵大夫也。或說曰，故貶之也。

《穀梁》對無侅之死，既不書氏，又不書日，提出三種假設。第一種假設，無侅並沒有名聲。然而這是說不通的，因爲在隱公五年他曾統率軍隊滅亡極國。第二種假設，隱公志在讓位桓公，不給大夫以上官以爵位。這話也不正確。五年經有「冬十有二月辛巳，公子彄卒」，九年經有「俠卒」，凡魯臣於《春秋》書「卒」者，都是卿大夫，隱公既代行國政，豈能「不爵大夫」？第三種假設，似乎《穀梁傳》作者明知這二種解釋難通，因不得不用「或說」，「或說」明明是抄襲《公羊傳》，只是文字簡省而已。

第三證，《春秋．莊公二年經》說：

夏，公子慶父帥師伐於餘丘（阮刻本無「於」字，今據《校勘記》補）。

《公羊傳》說：

於餘丘者何？邾婁之邑也。曷為不繫乎邾婁？國之也。曷為國之？君存焉爾。

意思是魯慶父所伐者僅是邾國的一邑叫於餘丘的。《春秋》應寫伐「邾婁之於餘丘」。邾君當時在於餘丘，於是把於餘丘看爲邾之國都，因而不書「邾婁」國名。《穀梁傳》却說：

國而曰伐。於餘丘，邾之邑也。其曰伐，何也？公子貴矣，師重矣，而敵人之邑，公子病矣。病公子，所以譏乎公也。其一曰，君在而重之也。

《穀梁傳》在「伐」字上做文章。「伐」是有特別意思的詞，一般攻奪一個地方，不用「伐」字。此次攻打邾國於餘丘一地，却用「伐」字，因爲公子慶父爲統帥，人既貴重，軍隊也多，而且以慶父的高貴身份和邾國一小地爲敵，未免太不値得，因此譏諷公子，也所以譏諷莊公。又引一說，「君在而重之也」，這是採用《公羊傳》的「君存焉爾」的理由而變其詞。

上面的幾條證據，足以證明《穀梁傳》係在看到《公羊傳》後才寫定的。

第四節 《公》《穀》二傳評價

《春秋》三傳，《左氏傳》以敍事爲主，甚至有《春秋經》所沒有的，即所謂無《經》之《傳》。解釋「書法」的話不多。《公羊傳》《穀梁傳》却不如此，以解釋《春秋經》文爲主，敍史事絕少，不是史書，而是所謂講「微言大義」的「經」書，而所講的「微言大義」，大半各逞胸臆，不合本旨。我們把《春秋經》開始一句「元年春王正月」六個字，用三傳的文字各列於下，讀者比較一下便可得出應有的結論。

(一)《左氏傳》：

惠公元妃（猶「元配」）孟子。孟子卒，繼室（續娶也）以聲子，生隱公。宋武公生仲子。仲子生而有文（字）在其手（手掌），曰為魯夫人，故仲子歸於我（嫁給魯惠公）。生桓公，而惠公薨，是以隱公立而奉之（奉桓公為君，隱公代行國政）。

元年春，王周正月，不書即位，攝也。

(二)《公羊傳》：

元年者何？君之始年也。春者何？歲之始也。王者孰謂？謂文王也。曷為先言王而後言正月？王正月也。何言乎王正月？大一統也。公何以不言即位？成公意也。何成乎公之意？公將平（治理也）國而反之桓（桓公）。曷為反之桓？桓幼而貴，隱長而卑。（據何休注，桓已被立為太子。）其為尊卑也微，（據何休注，聲子和仲子都不是夫人，而是媵妾。）國人莫知。隱長又賢，諸大夫扳（引也）隱（隱公）而立之。隱於是焉而辭立，則未知桓之將必得立也。且如桓立，則恐諸大夫之不能相（輔佐）幼君也。故凡隱之立，為桓立也。隱長又賢，何以不宜立？立適以長不以賢，立子以貴不以長。桓何以貴？母貴也（據何休注，仲子位次高於聲子）。母貴，則子何以貴？子以母貴，母以子貴。

(三)《穀梁傳》：

雖無事，必舉正月，謹始也。公何以不言即位？成公志也。焉成之？言君之不取為公也。君之不取為公何也？將以讓桓也。讓桓正乎？曰：不正。《春秋》成人之美，不成人之惡。隱不正而成之，何也？將以惡桓也。其惡桓何也？隱將讓而桓弒之，則桓惡矣。桓弒而隱讓，則隱善矣。善則其不正焉何也？《春秋》貴義而不貴惠，信道而不信邪。孝子揚父之美，不揚父之惡。先君（惠公）之欲與桓，非正也，邪也。雖然，既勝其邪心以與隱矣，已探先君之邪志而遂以與桓，則是成父之惡也。兄弟，天倫也。為子，受之父；為諸侯，受之君。已廢天倫，而忘君父，以行小惠，曰，小道也。若隱者，可謂輕千乘之國；蹈道，則未也。

以上三傳文字，《穀梁傳》最長，不計算標點，淨得二百二十二字；《公羊傳》次之，淨得一百九十五字；《左氏傳》最少，淨得七十一字。以內容論，《左氏傳》敍述隱公是續娶姬妾（非「夫人」）所生，桓公則是繼配夫人所生，因年幼小，所以隱公爲政而奉桓公爲國君。簡單明白。解釋經文，僅僅「不書即位，攝也」六個字。《公羊傳》文字將近《左氏傳》三倍，除說明「大一統」（「大一統」這個觀念，要在秦、漢以後才能有，這就足以證明《公羊傳》不出於子夏），還有所謂「子以母貴，母以子貴」的原則。文字拖沓，很難使人讀下去，沒有文學價值。《穀梁傳》更比《公羊傳》文字長，是《左氏傳》的三倍多。所謂「《春秋》成人之美，不成人之惡」，是抄自《論語．顏淵》篇，把孔丘的話，改「君子」爲《春秋》罷了。《公》《穀》二傳，廢話多，史事少。所謂大義，也未必是大義，更未必合乎《春秋》作者本旨。那麼，三傳的價值由此可以知道了。宋人葉夢得說得好：「《公羊》《穀梁》傳義不傳事，是以詳於經而義未必當。」

第五節 《公羊傳》《穀梁傳》在漢代

《公羊傳》和《穀梁傳》在漢代都立於學官，寫《春秋公羊傳》的，最初是胡毋生，同時有董仲舒和公孫弘。公孫弘以儒者爲丞相，封爲平津侯。董仲舒三次對策都引《公羊》，而以己意說它。如解「春王正月」說：

> 臣謹案《春秋》之文，求王道之端，得之於正（正月之正）。正次王，王次春。春者，天之所為也；正者，王之所為也。其意曰，上承天之所為而下以正其所為，正王道之端云爾。

這眞是以《公羊傳》的文章程式對答漢武帝的賢良策問。董仲舒〈對策〉還說：

> 《春秋》大一統者，天地之常經，古今之通誼（「誼」同「義」）也。今師異道，人異論，百家殊方，指意不同，是以上亡（同「無」）以持一統。法制數變，下不知所守。臣愚以為：諸不在六藝之科、孔子之術者，皆絕其道，勿使並進。邪辟（同「僻」）之說息，然後統紀可一，而法度可明，民知所從矣。

漢武帝聽了這話，便罷黜百家，獨尊儒術。這是公羊學對中國政治史、學術思想史影響最大最深的一件事！

《漢書・藝文志》還有董仲舒的《公羊董仲舒治獄》十六篇，用《公羊》來判斷官司。《漢書・董仲舒傳》還說他「以《春秋》災異之變，推陰陽所以錯行」來求雨或者止雨。今天看來，是怪誕之極！漢朝人喜歡援引《公羊》，有得福的，也有得禍的，各舉一例，以窺見《公羊春秋》在漢代的影響。

漢武帝衞皇后所生太子，被江充所陷害，逼得發兵，兵敗逃亡，終於自殺。漢昭帝始元五年，有人冒稱衞太子上朝廷自訴，「長安中吏民聚觀者數萬人」，「丞相、御史、中二千石至者，立，莫敢發言」。當時雋不疑爲京兆尹（相當今日北京市市長），後到，便叫人把冒充者捆綁收押。雋不疑說：

諸君何患於衛太子？昔蒯聵違命出奔，輒拒而不納，《春秋》是之。衛太子得罪先帝（漢武帝），亡不即死，今來自詣，此罪人也。

因此，「天子與大將軍霍光聞而嘉之，曰：公卿大臣當用經術，明於大誼。」當然，眞衞太子已自殺，冒稱者縱是眞衞太子，他便該立爲漢帝，不但漢昭帝帝位危險，而且霍光等輔佐大臣也難以自立。雋不疑援引《公羊傳》收押冒充者，實際上安定了漢昭帝和當時大臣之位。由是名聲重於朝廷，在位者皆自以爲不及也。（以上皆見《漢書．雋不疑傳》蒯聵是衞靈公的兒子，因想殺衞靈公夫人南子未成而逃亡，衞靈公死，聵蒯之子輒得立，而《公羊傳》說：

然則輒之義可以立乎？曰：「可。」「其可奈何？」不以父命辭王父（祖父）命，以王父命辭父命，是父之行乎子也。不以家事辭王事，以王事辭家事，是上之行乎下也。

這便是《公羊傳》之義。

另外有個眭（ㄙㄨㄟ）弘，又叫眭孟的，也是漢昭帝時人，當時發生一些怪現象，如大石頭自己直立，枯木復生等，眭孟竟推董仲舒《春秋》之意，認爲「當有從匹夫爲天子者」，於是上書，建議昭帝「求索賢人，禪以帝位，而退自封百里」。結果這班人全都送了性命。

漢人解說《公羊春秋》如此怪誕，得福既不合《春秋》本旨，得禍簡直是自討苦吃。其他如公孫弘，雖然也援引《公羊傳》，但這人是個兩面派，善於投機，這是他所以取得拜相封侯的關鍵所在。

在漢武帝時，衞太子學習《公羊》，其後，兼習《穀梁》，此後學者不多。到漢宣帝時才又盛行。

第六節　結論

《春秋公羊傳》和《春秋穀梁傳》，既不是史書，也談不上文學價值，一般人可以不讀。但要研究中國經學史、政治思想史、學術史，却不可不讀。下列幾本書是必須參考的：

㈠《春秋公羊傳注疏》，漢何休（一二九—一八二年）解詁，唐徐彥（唐朝末年人）疏。

㈡《春秋穀梁傳注疏》，晉范寧（三三九—四〇一年）集解，唐楊士勛（唐太宗時人）疏。

㈢《春秋繁露注》，清凌曙（一七七五—一八二九年）注。

㈣《春秋繁露義證》，近人蘇輿（死於民國初年）著。

㈤《春秋公羊通義》，清孔廣森（一七五二—一七八六年）著。

㈥《春秋公羊義疏》，清陳立（一八〇九—一八六九年）著。

㈦《穀梁補注》，清鍾文烝（一八一八—一八七七年）注。

《論語》

楊伯峻

第一節 《論語》的內容和成書年代

《論語》是這樣一種書：它記載著孔子的言語行事，也記載著孔子少數學生的言語行事。我們要研究孔子和孔門弟子，它是首先應閱讀的書。

「論語」之名，最早見於《禮記・坊記》，足見此名在漢武帝以前便有了。爲什麼叫「論語」，其說不同，都不一定可靠，可以不去管它。兩漢人引《論語》，有稱「孔子曰」的，縱不是孔子的話，也稱「孔子曰」，似乎可以看出，漢人把《論語》等同於《孟子》、《荀子》、《墨子》，作爲諸子的一種。漢人又把《論語》看爲「傳」、「記」，如《漢書・揚雄傳贊》「傳莫大於《論語》」，以《論語》爲「傳」的一種；《後漢書・趙咨傳》引其遺書，謂《記》又曰「喪與其易也，寧戚」，這是《論語・八佾篇》中的話。更可以知道漢人不把《論語》看作「經」，而看做輔翼「經書」的「傳」、「記」。漢代的書用竹木簡編綴成册，寫「經」書，用長二尺四寸的策（漢尺，約合今五五・九二厘米，一九五九年甘肅武威所出土漢簡《儀禮》可爲實物證明）；若《論語》，據《論衡·正說篇》，便只用八寸爲一尺的竹簡。由此也可以証明《論語》只是「傳」、「記」。

《論語》書中記到了孔子晚年最年輕學生曾參的死，又記著曾參對魯國孟敬子一段對話①。「敬」是謚號，當時人死了才給謚號。孟敬子肯定死在戰國初期，那麼，《論語》的編輯成書大概在戰國初期，即公元前四百年左右。

《論語》編纂成書雖在孔子死（公元前四七九年）後七十多年，但著筆或者較早，甚至也不是一人的筆墨，如〈子罕篇〉說：

牢曰：「子云：『吾不試，故藝。』」

「牢」是琴牢，自稱「牢曰」，可能是琴牢自己的筆記，爲編輯《論語》者所採入。又如〈憲問篇〉：

憲問恥。子曰：「邦有道，穀（做官拿俸祿）；邦無道，穀，恥也。」

「憲」是原憲，也就是〈雍也篇〉的原思。這幾句，也很可能是原憲自己的筆記，爲《論語》編纂人所採入。另外又如〈子張篇〉記「子夏之門人」和子張的問答，那一段話，不是子張學生所記，便是子夏學生所記。因此，我的看法是：《論語》是採輯孔門弟子或者再傳弟子有關筆墨，在戰國初期編纂而成的書。

第二節　《論語》的作用

孔子晚年就有極大的名聲，贏得當時各國的讚美。當時有人說他是「人民導師」②，魯國稱他爲「國老」③，還有人認爲他是「聖者」④。死後，他的學生比他作日月，高得不可超越⑤，說他「生得光榮，死得可惜」（同上）。他對中國文化的貢獻的確有豐功偉績。因此，《論語》一書從來就受到尊重。兩漢時兒童最初念書，是先讀識字課本，自秦統一前以至漢代，有各種識字課本，如〈史籀篇〉、〈倉頡篇〉、〈凡將篇〉、〈急就篇〉等，好比後代兒童讀〈千字文〉、〈三字經〉、〈百家姓〉，其後改讀「人、手、足、刀、尺」一樣。在漢代識字完畢，便讀《論語》和《孝經》。《論語》是讀書人必讀之書。不像「五經」（《詩》、《書》、《易》、《禮》、《春秋》），可以不讀，也可以只通一經；能夠兼通幾種「經書」的，便是了不得的儒者。以後的讀書人，可說無人不讀《論語》。到南宋朱熹，把《論語》、《大學》、《中庸》、《孟子》集爲《四書》，作《四書章句集注》，這四種更成爲學習入門書。元仁宗皇慶二年（一三一三）舉行科舉，考試題目必須在《四書》之內，而且必須以朱熹的注解爲根據。一直經過明朝，延到清代光緒二十七年（一九〇一）才完全廢除以《四書》命題的「八股文」考試辦法。《論語》是《四書》的第一部，八股命題少不得《論語》，讀書人要做官，一般非經過科舉不行；《四書》，尤其是《論語》，便成爲讀書做官的敲門磚。如此經過將近六百年，足見它影響之大且深。

縱是科舉廢了，《論語》還是讀書人經常誦讀的書。既不是敲門磚了，爲什麼這書還有不少人讀它呢？一則二千多年來便把它看成必讀書，舊的習慣勢力難以肅清。二則《論語》本身也有較爲廣泛的用途和較大的價值，它是研究中國思想史、文化史、教育史的必讀書，所以直到今天，還是很重要的一部古籍。三則，古人喜歡引用《論語》，把《論語》讀懂了，閱讀理解古書自然較爲方便。

第三節　孔子和他的思想及貢獻

孔子名丘，一說生於公元前五五一年⑥，一說生於公元前五五〇年⑦；死於公元前四七九年，享年七十二。

他出生於宋國貴族，他曾祖防叔因避禍由宋逃到魯國，便成爲魯國人。他父親名紇，字叔梁，做過魯國陬邑的地方長官。孔子出生不久，父親死了，家庭也貧困了，不得不做各種雜活，一則贍養寡母，一則自己生活。他做過倉庫保管員，也做過牲畜管理員，都很負責任⑧。最後做到魯國的大司寇⑨，那是「卿」的高位了。他到處學習，不懂就問，所以見聞廣博。一生得意時少，失意時多；晚年便專門一面整理古籍，一面講學傳授學術。他是中國私人講學的第一人，也是傳播古代文化的第一人，中國古代文化的流傳以至後來的擴大和發展，不能不歸功於孔子。

孔子的思想，淵源於殷商以及西周、東周的社會思想潮流，更多地是接受了春秋時代一些思想家、政治家的言行，如鄭國的子產，齊國的晏嬰等人。春秋時代重視「禮」，認爲「禮」是「天之經也，地之義也，民之行也」⑩，孔子卻改以「仁」爲核心，認爲沒有「仁」，便談不上「禮」⑪孔子對於「仁」有各種定義，概括說起來是「愛人」⑫。孔子所愛的「人」，是包括各個階級、階層的人，是一切具有生命的人。孔子頭腦裡未必意識到階級的劃分和矛盾，但在階級社會裡，有各種家庭出身、各種職業、受著不同待遇的人，這是客觀存在，任何人不能視而不見。孔子的志願是「老者安之，朋友信之，少者懷之」⑬，而他所收留的學生，絕大多數出自下層，只有屈指可數的學生是出自上層。孔子自己也是沒落貴族，由此可見孔子心目中並不存在階級歧視。

孔子自三十歲招收學生，一直到老，「學而不厭，誨人不倦」⑭，因此博得學生的無限愛戴。他死後，許多學生在他墓側結茅屋居住，有的住三年，相傳子貢住了六年，他早期的學生，如子路、冉有、子貢，跟著他奔走四方，爲救世而鬥爭。他晚期的學生，如子游、子夏、子張、曾參，便接受他講學帶徒的衣缽。中國古代文化的傳播，他晚期學生也作了一定的貢獻。

孔子自己說他研究《詩》、《書》、《禮》、《樂》、《易》、《春秋》六經⑮。從《論語》看，他經常談《詩》。《詩》就是今天的《詩經》，是古代詩歌總集，有廟堂之詩、有卿大夫的詩、有民歌。時代從西周到春秋中葉。孔子曾經整理過《詩》，見《論語·子罕篇》。《書》是《尚書》，又稱《書經》，是古代歷史資料匯編，孔子曾引用它，見《論語·爲政篇》。《禮》，當孔子時或許有書，但現今流傳的《禮》，即《儀禮》，則出自孔子的講授。《樂》只是曲譜，早已亡佚，但孔子不僅是音樂愛好者，很可能十分內行。《易》，也叫《周易》或《易經》，當孔子時，只有〈卦辭〉和〈爻辭〉作占筮用，孔子曾經引用它。《春秋》是魯國史書，孔子曾經採它作近代史和當代史的教本。孔子整理和傳授古代文獻的情形大概如此。

孔子的教育方法也值得一提。他不分地位高下，報酬厚薄，只要學生拿十條乾肉的拜師禮品，便教導他⑯。他因材施教，深刻了解每個學生的資質、性情、能力、愛好的不同，所以同一個問題，孔子的答話因人而異，甚至相反⑰。師生間的相處有時好比父子⑱。學生平日的言行，他能深入了解，譬如他說顏回（他最喜歡的學生），平日聽講，只聽不提問，好像笨伯，回去後，卻能發揮，並不愚笨⑲。從所有古籍看，孔子教學生，一般用啓發式方法。當然，那是個別教育，不同於今天的上大課，但今天的灌注式的方法是否能有所改變或補充呢？

第四節　怎樣看待和閱讀《論語》

現在我們早已不把《論語》看成「聖經」，縱把孔子看成「聖人」，那也是封建社會初期的「聖人」。今天我們把《論語》看成研究孔子和孔門、孔學的最可信的資料，也作爲研究中國社會史、思想史、教育史、文化史的資料，分析它，批判地繼承它。

古往今來關於《論語》的書很多，總計三千多種。在《論語》一部書裡，因爲言辭簡略，詞義含混，更給人以歪曲的可能。加上自兩漢以來，引用《論語》來証明自己的意見，經常「斷章取義」，不顧本眞。這種辦法最易發展，於是孔子本人和他的學說便曾被各式各樣的人利用過。他們不惜曲解《論語》，用自己的學說來附會它，例如宋朝的唯心主義者陸九淵（一一三九—一一九三年）曾公開地說：「六經注我」⑳。所謂「六經注我」，就是六經做我主張的注腳。無怪《論語》一部書曾被各式各樣的人作過不適當的評價，也被各式各樣的人作了不同程度的歪曲。我們要正確地了解《論語》，還它以本來面目，由此而正確地評價孔子，給以恰如其分的歷史地位，首先要掃清二千多年來積累的妨礙我們視線的障蔽，並且把孔子本人在歷史上所發生的作用和他曾被人利用因而在歷史上發生的不同作用區別開來。要實事求是地探討《論語》原文的本義，用馬列主義的觀點和思想方法——歷史唯物主義和辯證唯物主義——去分析它，批判它。

要研究《論語》，初步可以看楊伯峻的《論語譯注》。以下幾種書，仍然有參考價值：

(1)《論語注疏》——魏何晏（一九〇—二四九）集解、宋邢昺（九三二—九八八）疏。《十三經注疏》本較方便，因爲有阮元的《校勘記》。

(2)《論語集注》——宋朱熹（一一三〇—一二〇〇）著。朱熹雖然是理學家，但對注解《論語》卻花了很大工夫，並注意訓詁。

(3)《論語正義》——清劉寶楠（一七九一—一八五五）、劉恭冕（一八二一—一八八〇）父子合著。

(4)《論語集釋》——近人程樹德著，搜集材料相當豐富。

(5)《論語疏證》——近人楊樹達（一八八五—一九五六）著。這書把三國以前所有徵引《論語》或者和《論語》的有關資料都依《論語》原文疏列，有時加按語，說明自己看法。

---

①《泰伯篇》。

②參見楊伯峻《論語譯注·八佾》

③《左傳·哀公十一年》。

④《論語·子罕篇》。

⑤參見楊伯峻《論語譯注·子張篇》

⑥《公羊傳》和《穀梁傳》。

⑦《史記·孔子世家》。

⑧《孟子·萬章篇下》

⑨《史記·孔子世家》。

⑩《左傳·昭公二十五年》。

⑪《論語·八佾》。

⑫《論語·顏淵》。

⑬《論語·公冶長》。

⑭《論語·述而》。

⑮《莊子·天運篇》。

⑯《論語·述而》。

⑰《論語·先進》。

⑱《論語·先進》。

⑲《論語·爲政》。

⑳《象山全集》卷三十四。

《孝經》

楊伯峻

第一節 《孝經》內容

《孝經》雖然以「經」名書，實在不能和其他「經書」相比。它純講「孝道」，因此被歷代皇帝所重視，用來勸老百姓「孝」，由「孝」以勸「忠」，由是得廁入《十三經》之林。今本《孝經》僅一千七百九十九字，分爲十八章。這十八章是：

〈開宗明義章第一〉，講「孝，德之本也」，又說：「夫孝，始於事親，中於事君，終於立身。」

〈天子章第二〉，講「天子之孝」。

〈諸侯章第三〉，講「諸侯之孝」。

〈卿大夫章第四〉，講「卿大夫之孝」。

〈士章第五〉，講「士之孝」。

〈庶人章第六〉，講「庶人之孝」。

〈三才章第七〉，講「孝，天之經也，地之義也，民之行也」。天、地、人是「三才」。

〈孝治章第八〉，講「明王以孝治天下」。

〈聖治章第九〉，講「聖人之德無以加於孝」。

〈紀孝行章第十〉，講「孝子事親」。

〈五刑章第十一〉，講「五刑之屬三千而罪莫大於不孝」。

〈廣要道章第十二〉，講「禮」「樂」是廣「孝」的「要道」。

〈廣至德章第十三〉，講教「孝」「悌」和好好做臣屬。

〈廣揚名章第十四〉，講「孝」可移於「忠君」「順長」「治官」。

〈諫諍章第十五〉，講要有「爭臣」「爭友」「爭子」，使君上、父親和朋友「不陷於不義」。

〈盛應章第十六〉，講「孝」「無所不通」。

〈事君章第十七〉，講如何事君。

〈喪親第十八章〉，講孝子喪親之道。

宋代理學家朱熹在《朱子語類》中曾經評論《孝經》：

《孝經》獨篇首六七章為本經，其後皆傳文；然皆齊、魯間陋儒纂取《左氏》諸書之語為之。至有全不成文理處，傳者又頗失其次第。

第二節　《孝經》的著者時代

《孝經》作者有幾種說法：第一說是孔子。班固的《漢書．藝文志》（實本於劉歆《七略》）說：

> 《孝經》者，孔子為曾子陳孝道也。

其後鄭玄的《六藝論》也這麼說，《孝經緯鈎命訣》甚至引孔子的話說「吾志在《春秋》，行在《孝經》」。《援神契》更說得神奇：「孔子制作《孝經》，使七十二子向北辰磬折」。《孝經》不是孔子所作，不待智者而後明，因爲一翻《孝經》本書便會明白。孔子若作《孝經》，哪能稱他的學生曾參爲「曾子」，這是其一。《孝經》抄了孔子以後的一些書，如《左傳》《孟子》《荀子》，孔子怎能預見到他死後一兩個世紀中某些人物會說某些話？此其二。《論語》是比較可信的孔丘言行錄，《孝經》的論孝，便和《論語》的論孝大不相同，甚至有矛盾處，此其三。所以越到後代，這種主張的人便逐漸少了。

第二說是曾子所作，初見《史記．仲尼弟子列傳》：

> 曾參，南武城人，字子輿，少孔子四十六歲。孔子以為能通孝道，故授之業，作《孝經》。死於魯。

這一說法，在司馬遷時，未受重視；到兩晉以後，附和者漸多。但取《禮記》和《大戴禮記》曾子論孝諸事和《孝經》比較，相抵觸者不少。如《孝經》主張「父有爭子」，甚至說：「故當不義則爭之，從父之令（指不義之令）又焉得爲孝乎？」而《大戴禮記．曾子事父母上篇》說：

「父母之行，中道（合理）則從。若不中道，則諫。諫而不用，行之如由己。從而不諫，非孝也。諫而不從，亦非孝也。孝子之諫，達善而不敢爭辯。爭辯者，作亂之所由興也。」一個說不爭就是不孝，一個說爭辯是禍亂發動之源，究竟哪一說是曾子本意？何況《孝經》所用《孟子》、《荀子》諸語，曾子是不可能看到的。所以這一說也不足信。

第三說是曾子門人所作。這是宋朝人如胡寅（朱彝尊《經義考》引）、朱熹（《孝經刊誤》）開其端，並無實証，只是想像之詞。另外還有說是子思所作，只見於宋王應麟《困學紀聞》引馮椅說，尤不足論。

我們考察《孝經》的作者，一則當就與《孝經》有關的文獻進行研究，一則尤其應該從《孝經》本身進行研究。

《呂氏春秋．察微篇》有下列一段話：

《孝經》曰：高而不危，所以長守貴也；滿而不溢，所以長守富也。富貴不離其身，然後能保其社稷，而和其人民。

這一段和《孝經．諸侯章》文字全同。《呂氏春秋》明白地是引《孝經》，可見《孝經》出於呂不韋以前。

又《呂氏春秋．孝行覽》：

故愛其親，不敢惡人；敬其親，不敢慢人。愛敬盡於事親，光耀加於百姓，究於四海，此天子之孝也。

雖然沒有說引自《孝經》，卻和《孝經．天子章》只有個別字不同，可能也引自《孝經》。因之汪中《經義知新記》說：

> 〈孝行〉〈察微〉二篇並引《孝經》，則《孝經》為先秦古籍明。

蔡邕《明堂論》說：「魏文侯撰《孝經傳》。」似乎在魏文侯時，《孝經》已經流傳。但《漢書·藝文志》不錄這書，蔡邕所看到的《孝經傳》未必是魏文侯所作。而且魏文侯是戰國初期人，不可能看到《孟子》、《荀子》，而今天《孝經》襲用《孟子》、《荀子》就無法解釋了。

《孝經》襲用《左傳》的，如《左傳·昭公二十五年》「夫禮，天之經也，地之義也，民之行也」幾句，《孝經·三才章》全部照抄，只改「禮」爲「孝」。又宣公十三年「進思進忠，退思補過」，《孝經·事君章》照抄。又襄公三十一年「進退可度，周旋可則，容止可觀」等語，《孝經·聖治章》改爲「作事可法，容止可觀，進退可變度」。文公十八年「不度於善，而皆在於凶德」，《孝經·聖治章》僅改「度」爲「在」。這些都是《孝經》作者襲用《左傳》語句。其餘如《孝經·諫諍篇》多襲用《荀子·子道篇》。至於《孝經》襲用《孟子》，雖不是字句全同，但撮取大意，插入可用詞句，痕跡顯然，陳澧《東塾讀書記》已經指出。還有未經他指出的不少。近人王正己說《孝經》爲孟子門人所著①，就是因爲《孝經》多襲用《孟子》之故，但《孝經》未必是孟子門人所著。

從上面幾段文字看，在秦始皇統一前，呂不韋集門客作《呂氏春秋》，《孝經》已經流行，不然，不會被引用。但又在《孟子》《荀子》流行以後，不然，無法襲用其文。孟軻約死於公元前二八五年，荀況約生於公元前三一三年，死於秦始皇即位前後不久，呂不韋集門客著書前，《呂氏春秋》著書開始於公元前二四〇年，成於公元前二三九年，僅歷二年而成，可見門客之多，抄撮之速，《孝經》自亦在取材之中。《孝經》之作，當在公元前三世紀期間。

第三節 所謂《古文孝經》

談到《古文孝經》的有兩家，一是《漢書．藝文志》：

武帝末，魯恭王壞孔子宅，欲以廣其宮，而得古文《尚書》及《禮記》《孝經》《論語》，凡數十篇，皆古字也。

另一是許沖上其父許愼所著〈說文表〉：

《古文孝經》者，孝昭帝時，魯國三老所獻。

桓譚似乎看到過《古文孝經》，《新論》說：

《古孝經》一卷，二十章，千八百七十二字，今異者四百餘字②。

以上三說，互不相同：（一）《漢書．藝文志》說《古文孝經》在孔子家中屋壁內所發現，許沖說漢昭帝時爲魯國三老所獻。（二）《漢書．藝文志》班固自注說，《古文孝經》分二十二章，而桓譚說只有二十章。

總之，關於《古文孝經》，《隋書．經籍志》是這樣說的：

《古文孝經》一卷，孔安國傳。梁末亡逸，今疑非古本。

這麼一說，《古文孝經》早已不存在，今本《古文孝經》是僞造本，誰僞造的呢，隋文帝開皇十四年（五九四）由劉炫復得，上引《隋書．經籍志》便戳穿它是假貨，至於所謂孔安國傳更是僞品。還有所謂《孝經》鄭玄注，也是不可信的。這些都不必囉嗦了。

第四節　《孝經》之受推尊

《孝經》一書，實在值不得去讀它；但歷代封建統治者便利用它爲政治服務，以求達到他們歷世相傳的政治目的，因而歷代都受推尊。《漢書·藝文志》說：「漢文帝時，《論語》《孝經》皆置博士。」「置博士」，便是在大學裡設專科教授。而且漢代在兒童識字以後，《論語》《孝經》是必讀書。漢代也提倡「孝」道，自惠帝以後，歷代皇帝謚號前都加一「孝」字，如「孝惠帝」「孝文帝」「孝景帝」「孝武帝」「孝昭帝」等等。漢宣帝地節三年（公元前六七年）還選疏廣教授皇太子以《孝經》。這類情況，翻開歷史書，便會發現不少，尤其可怪的，據《七錄》，晋孝武帝有《總章館孝經講義一卷》。當然，以皇帝之尊，撰集注解《孝經》的，前有晋元帝的《孝經傳》（已佚，見《經義考》），後有梁武帝的《孝經義疏十八卷》（《隋書·經籍志》，已佚），梁簡文帝《孝經義疏》五卷（已佚，亦見《七錄》）等。現在只談東晋孝武帝這個人，他十歲死了父親，便不哭喪，還說什麼「哀至便哭」。他在位時，權臣桓溫已死，政柄他一人掌握；其後謝安、謝石又大敗苻堅於淝水，正是大有爲之時，他卻自己飲酒好色，又專任司馬道子和王國寶一般齷齪小人，貪婪無厭，賣官鬻爵，流毒人民，結果被所寵愛的張貴人所害死，甚到沒有人來追究凶手。東晋因之日益衰頹，以後遂一蹶不振，還宣講什麼《孝經》（寧康三年重九日孝武帝曾親自講《孝經》），作什麼《孝經講義》？由此可見，統治者之講《孝經》，爲《孝經》作解說，都不過是騙人的把戲罷了。現存《十三經注疏》中的《孝經注》是唐玄宗作的，宋邢昺作疏。因爲《孝經》這部書，內容陳腐，文字淺陋，實在値不得一讀。好在只有一千八百字，翻他一遍，半小時也就夠了。

①見《古史辨》第四册，王正己《孝經今考》。

②《太平御覽》六〇八引，嚴可均《全後漢文》輯，〈正經篇〉。

《爾雅》

陸宗達／王寧

第一節 《爾雅》與經

《爾雅》是十三經裡的一部比較特殊的典籍。六朝人稱之爲「詩書之襟帶」（劉勰《文心雕龍》），宋朝人譽之爲「六籍之戶牖，學者之要津」（林光甫《艾軒詩說》），清朝人更以「訓故之淵海，五經之梯航」（宋翔鳳〈爾雅郭注義疏序〉）稱之。可見歷代學者對它多麼重視，又可見它在我國典籍中有著多麼重要的地位。

但是，從這些評論中，我們又可看到一個問題。那就是不論「襟帶」也好，「戶牖」與「要津」也好，「梯航」也好，都似乎說它是古代治經學的工具，而不是說它本身就是一部「經」。可是《爾雅》確爲十三經之一。這個問題必須首先剖析清楚。

《爾雅》爲什麼叫「爾雅」？劉熙《釋名》說：「《爾雅》：爾，昵也；昵，近也。雅，義也；義，正也。五方之言不同，皆以近正爲主也。」黃季剛先生對「雅」字有另一種解釋。他根據《荀子·榮辱篇》「越人安越，楚人安楚，君子安雅」與〈儒效篇〉「居楚而楚，居越而越，居夏而夏」對照，以爲「雅」是「夏」的借字。因此他說：「一可知《爾雅》爲諸夏之公言；二可知《爾雅》皆經典之常語；三可知《爾雅》爲訓詁之正義。」①綜合這兩種說法，《爾雅》是一部古代經典的詞語解釋之書，它在釋詞上有三大任務：⑴標準語釋方言俗語；⑵當代語言釋古語；⑶常用語釋難僻詞語。對文獻語言作出的解釋，我國古代稱作「故訓」、又稱「訓詁」，《爾雅》實際上是一部訓詁的匯編，或者說，是一部以釋爲主的詞典。它不像一般的經書，是供閱讀的；而像古代的字書，是供查檢的。它不屬於歷史或思想理論一類，而屬於語言文字學一類。那麼，它又怎樣列入了經書呢？

我國經書的數量有一個發展過程，漢代只有六經（因《樂經》實際上並不存在，所以實爲五經），漢末加了一部《論語》，變爲七經，後來加上《孝經》，又將《禮》分爲《周禮》、《儀禮》、《禮記》，又以《左傳》、《公羊傳》、《穀梁傳》代《春秋》，便有了十二經。唐文宗太和年間石刻十二經，並置於太學，於十一經中加上一部《爾雅》。十三經就是由唐代的十二經再加上《孟子》發展來的，因此其中包括《爾雅》。

唐文宗時將《爾雅》列爲經書，也是有歷史依據的。據《孟子題辭》說：「孝文皇帝欲廣游學之路，《論語》、《孝經》、《孟子》、《爾雅》皆置博士。後罷傳記博士，獨立五經而已。」此後，劉歆欲立古文學，曾徵募能爲《爾雅》者千餘人，講論庭中（見《漢書·楚元王傳》）。可見《爾雅》早已具有了被確定爲經書的歷史依據。實際上，在五經之後增設的經書，很多僅是五經的附庸。例如，《左傳》、《公羊傳》、《穀梁傳》是對《春秋》史實的詳述或對《春秋》詞例的解釋，《論語》、《禮記》不過是言論的輯錄……既然這些附庸於五經的傳、記後代都雜糅到正式的經書裡去，那麼，解釋經傳語言的《爾雅》列入經書，也就不奇怪了。所以紀昀的《四庫全書總目提要》說：「持說經之家，多資（《爾雅》）以證古，故從其所重，列之經部。」這又從內容上說明了《爾雅》入經的緣由。

第二節 《爾雅》的作者、成書年代及其特點

《爾雅》的作者與成書的年代，舊有三說：一說爲周公所著，成書在西周；一說爲孔子或其門徒所著，成書在東周；又一說爲漢儒所著。這三個說法，都不夠準確。

根據現代學者的考證，《爾雅》中的很多材料，應在《毛詩詁訓傳》之前就有了。《爾雅》與《毛傳》有許多共同的材料，但《毛傳》的解釋顯然比《爾雅》更精確，水平更高。例如，《毛傳》已有「辭」（語助詞）的概念，已能用「××聲」、「××貌」等術語來表示迭字形容詞與象聲詞的詞性等等，這都是《爾雅》所不具備的。而且，《爾雅》所論的制度多爲周制。例如，〈釋山〉中有兩處記載「五岳」：一是「河南華，河西岳，河東岱，河北恒，江南衡」，另一是「泰山爲東岳，華山爲西岳，霍山爲南岳，恆山爲北岳，嵩高爲中岳」。前者爲周初之制，後者爲東周之制。這都說明《爾雅》不是漢代的著作。說《爾雅》爲周公、孔子所著，也不可信。因爲《爾雅》釋五經的材料連一半也不到，它所採的訓詁，旁及《楚辭》、《莊子》、《穆天子傳》、《管子》、《呂氏春秋》、《國語》等，以至《史記》，很多是在周公、孔子之後。從它所涉及的文獻和所論的制度、史實看，它不是一人一時之作，而是雜採幾代多家的訓詁材料匯編起來的。而且，匯編也不是一次而成，而是逐步完善。初具規模的時代大約在公元前四

百年到三百年左右的戰國時期，漢代古文經典的傳注發達起來後，又經過一度增補潤色，才成爲我們今天所見的樣子。

《爾雅》的成書情況決定了它的特點，這是在研究和應用《爾雅》時必須留意的。這就是《爾雅》所取的訓詁和經傳百家多有相同者。不但釋經之條目多與《毛傳》相同，其他材料與古代典籍相同之處也很多。如「師，衆也」、「比，輔也」、「晋，進也」、「遘，遇也」、「履者，禮也」、「頤者，養也」、「震者，動也」等，都與《易·十翼》同。「勤，勞也」、「肇，始也」、「怙，恃也」、「典，常也」、「康，虛也」、「惠，愛也」、「綏，安也」、「考，成也」、「懷，思也」等，都與《周書·謚法篇》同。「元，始也」、「芾，小也」等，與散見他籍的子夏《易》傳同。《穀梁傳》「平之爲言以道成也」、「胥之爲言猶相也」、「寔來者，是來也」等，都同《爾雅》。《禮記·喪服傳》中的稱謂，大都與《爾雅》一致。《爾雅》「暴雨謂之涷」、「卷施草，拔心不死」等，就是《楚辭》文，「扶搖謂之猋」、「蒺藜，蝍蛆」等又是《莊子》文……這說明，《爾雅》是匯編，不是獨創，它是多有所本的，所以，它可以「觀古」、「證古」，對了解和研究古代的文獻語言很有參考價值。但是，由於材料來源非只一處，材料入書亦非一時，所以，《爾雅》中的材料難免存在矛盾重複。前面所說兩個「五岳」便是一例。那是因爲採用了兩個不同時期的制度。又如，「密肌，繼英」，〈釋虫〉、〈釋鳥〉兩次出現，雖有人篤信《爾雅》，認爲它既是蟲名，又是鳥名，但仔細考察，這只不過是把對一個名稱的兩種不同的解釋同時收入罷了。在應用《爾雅》時，對它的這個特點，要特別重視。

第三節 《爾雅》的編排與內容

現存的《爾雅》共有十九篇，將各種故訓按義分類。其實，除語詞外，是按物分類。這十九篇又可分為五大類：

（一）語言類：

1.〈釋詁〉；2.〈釋言〉；3.〈釋訓〉。

這三篇是古代文獻詞語訓釋的匯編。〈釋詁〉和〈釋言〉主要是單詞的訓釋，〈釋訓〉多為迭字詞或連綿詞。〈釋詁〉、〈釋言〉多用直訓的方式，有同義詞比較的作用。〈釋訓〉則多用義界的方式，起「道形貌」的作用②。如：

「初、哉、首、基、肇、祖、元、胎、俶、落、權輿，始也。」

「績、緒、采、業、服、宜、貫、公，事也。」

——〈釋詁〉

「殷、齊，中也。」

「薆，隱也。」

——〈釋言〉

「明明、斤斤，察也。」

「子子孫孫，引無極也。」

——〈釋訓〉

（二）人文關係類：

4.〈釋親〉

這一篇主要解釋親屬關係的稱謂。分爲宗族、母黨、妻黨、婚姻四類。如：

「父為考，母為妣。」（宗族）

「母之姐妹為從母，從母之男子為從母晜弟，其女子子為從母姊妹。」（母黨）

「妻之姊妹同出為姨，女子謂姊妹之夫為私。」（妻黨）

「女子子之夫為壻。」（婚姻）

（三）建築器物類：

5.〈釋宮〉；6.〈釋器〉；7.〈釋樂〉。

〈釋宮〉是解釋宮室的總體名稱和各個部位的名稱的；〈釋器〉解釋一般器物名稱、材料名稱和制作工序的名稱；〈釋樂〉則專講樂器。如：

「宮謂之室，室謂之宮。」

「牖戶之間謂之扆，其內謂之家，東西牆謂之序。」

——〈釋宮〉

「木豆謂之豆，竹豆謂之籩，瓦豆謂之登。」

「一染謂之縓，再染謂之赬，三染謂之纁。」

——〈釋器〉

「大瑟謂之灑。」

「和樂謂之節。」

——〈釋樂〉

（四）天文地理類：

8.〈釋天〉；9.〈釋地〉；10.〈釋丘〉；11.〈釋山〉；12.〈釋水〉。

這一部分中，〈釋天〉包括最廣，其中又分四時、祥、災、歲陽、歲陰、歲名、月陽、月名、風雨、星名、祭名、講武、旌旗十三類。〈釋地〉解釋地域名稱和地理環境的特點，又分九州、十藪、八陵、九府、五方、野、四極七類。〈釋丘〉專講自然形成的高地，分丘和厓岸兩類。〈釋山〉講山脈。〈釋水〉講河流。包括水泉、水中、河曲、九河四類。如：

「春為青陽，夏為朱明，秋為白藏，冬為玄英，四氣和謂之玉燭。」（四時）

「春獵為蒐，夏獵為苗，秋獵為獮，冬獵為狩。」（講武）

——〈釋天〉

「下濕曰隰，大野曰平，廣平曰原，高平曰陸，大陸曰阜，大阜曰陵，大陵曰阿。」（野）

「東至於泰遠，西至於邠國，南至於濮鉛，北至於祝栗，謂之四極。」（四極）

——〈釋地〉

「左高咸丘，右高臨丘，前高旄丘，後高陵丘，偏高阿丘。」（丘）

「厓內為隩，外為隈。」（厓岸）

——〈釋丘〉

「小山岌，大山峘（ㄏㄨㄢˊ）。」

「石戴土謂之崔嵬，土戴石為砠。」

——〈釋山〉

「大波為瀾，小波為淪，直波為徑。」（水泉）

「水中可居者曰洲，小洲曰陼，小陼曰沚，小沚曰坻，人所為為潏。」（水中）

——〈釋水〉

（五）植物動物類：

13.〈釋草〉；14.〈釋木〉；15.〈釋蟲〉；16.〈釋魚〉；17.〈釋鳥〉；18.〈釋獸〉；19.〈釋畜〉。

這部分分別對草本植物、木本植物、昆蟲、水生動物（包括爬行動物）、鳥類、獸類、家畜的名稱進行解釋。其中〈釋獸〉分寓類、鼠類、齸屬、須屬四類，〈釋畜〉分馬屬、牛屬、羊屬、狗屬、雞屬、六畜六類。如：

「茦，王芻。」

「荼，苦菜。」

「杜，甘棠。」

「樅，松葉柏身。檜，柏葉松身。」

——〈釋木〉

「蜉蝣，渠略。」

「蟓，蝮蜪。」

——〈釋蟲〉

「魾，大鱯。小者鮡。」

「一曰神龜，二曰靈龜，三曰攝龜，四曰寶龜，五曰文龜，六曰筮龜，七曰山龜，八曰澤龜，九曰水龜，十曰火龜。」

——〈釋魚〉

「舒雁，鵝。舒鳧，鶩。」

「皇，黃鳥。」

——〈釋鳥〉

「狒狒，如人。被髮迅走，食人。」（寓屬）

「豹文鼮鼠。」（鼠屬）

——〈釋獸〉

「駮如馬，倨牙，食虎豹。」（馬屬）

「馬八尺為駥，牛七尺為犉，羊六尺為羬，彘五尺為豟，狗四尺為獒，雞三尺為鶤。」（六畜）

——〈釋畜〉

從以上內容看，《爾雅》並沒有為我們展示出較完整的義類。也就是說，它沒有對詞語的意義進行完整的分類，而只是分出了物類。由於古代自然科學和思維科學還不發達，《爾雅》的分類與歸類也多有不合理之處，很難用今天的標準來要求了。

第四節 《爾雅》的應用

《爾雅》儘管列入「經」部，就其內容和作用說，卻只是一部訓詁資料集。它整理、保存了故訓，對研究古代文獻和古漢語詞彙有很大的用處：

首先，它可以幫助我們了解古代的自然狀況和社會狀況。在閱讀古代文獻時，遇到不懂的建築器物、天文地理、動物植物的名稱，以及有關的親屬稱謂，都可以按類來查檢《爾雅》。

第二、它可以幫助我們了解古代的詞義，弄清古今詞義的區別。例如，《詩經・鄭風・緇衣》：「緇衣之蓆兮，敝予又改作兮。」「蓆」在現代漢語裡只當蓆子講，而《爾雅》有「蓆，大也」的訓釋③。這是因爲古代的蓆子是亂草鋪成的，鋪得很多、很厚，所以引申有「大」義，用來形容衣服。《緇衣》的「蓆」正當「大」講。查查《爾雅》，對古文獻難解的詞義便能較確切地理解。

第三、它可以幫助我們辨析、比較古文獻中的同義詞。如、《釋詁》第一條：「初、哉、首、基、肇、祖、元、胎、俶、落、權輿，始也。」十一個詞都訓「始」，但含義有所不同：

初，裁衣之始。

哉，即才，草木之始。

首，人體之始。

基，築牆之始。

肇，開門之始。

祖，人類之始。

元，即人頭，也是人體之始，又同「兀」，地之高處。

胎，人生之始。

俶，品德之最高者，引申有「始」義。

落，專指廟堂宮室建成之始。

權輿，草木迂曲出土，即植物生長之始。

第四，它爲我們展示了古代詞語比較完整的全貌，幫助我們認識古代詞彙發展的規律。如，從《爾雅》的〈釋獸〉與〈釋畜〉中可以看出，上古虎、牛、犬的幼子都稱「狗」，而馬之小者稱「駒」，羊之小者稱「羔」，「駒」、「羔」又都是「狗」的音變。這些字古音都在「侯」韻。可見在漢語詞彙發展的早期，詞彙的意義偏於綜合，統稱很多。以後思維細密了，又趨向分析，分化出「犢」、「駒」、「羔」、「狗」等不同的名稱。待雙音節合成詞大量產生，改用詞素組合來區別近似事物，詞彙的發展又趨於綜合了。《爾雅》還可以幫助我們研究名物的來源，從中又可總結字源的理論。總之，它是古代漢語詞彙研究不可缺少的資料。

最後，《爾雅》廣爲搜集故訓，又能幫助我們了解古代傳注的訓釋條例。以《爾雅》中的義界爲例。如：

「父之黨為宗族。」——這是義界中的界說式。

「絕高謂之京，非人為之丘。」——這是義界中的排除式。

「山西曰夕陽，山東曰朝陽。」——這是義界中的比較式。

「雞大者蜀。」——這是義界中的特指式。……

弄清這些條例，不但可以幫助我們憑借古注去閱讀古書，而且還能有助於辭書編寫和教學中的釋詞工作。

在應用《爾雅》時，有一點必須注意，那就是，《爾雅》是將不同時期、不同經傳中的故訓匯集在一起的。有人稱它是「同義詞典」，這說法不夠確切。在《爾雅》中同用一個詞訓釋的一系列詞，雖然同訓，卻未必都同義。因爲，經傳的訓釋都是解釋在一定語言環境裡的詞義，它所取的有的是詞的本義，有的是詞的引申義，有的是詞的假借義。有的是概括詞義，也有的是具體環境中的具體詞義，甚至有些還帶有作者和作品獨特的用意，不加分析一律簡單理解，便會形成謬誤。例如，《釋詁》第一條「落，始也。」「落」在這裡是被訓釋詞，這用的是它的特殊意義。只有在廟堂宮室落成時，它才有「始」義。而宮室落成雖是使用的開始，卻是建造的終結，就這個意義來說，它與當築牆之始的「基」字雖然同訓，卻不但不是同義詞，而且簡直就是反義詞了。而《釋詁》後文「隕、磒、湮、下、降、墜、摽、蘦，落也。」「落」在這裡作訓釋詞，倒是用的它的常用義，當從上下而掉落講。又如，《釋詁》「台、朕、賚、畀、卜、陽，予也。」同訓「予」，卻取了兩個意義，「台」、「朕」、「陽」訓「予」當「我」講，「賚」、「畀」、「卜」訓「予」，即「與」，當「給予」、

「賜予」講，兩組意義相差極遠。這類情況在《爾雅》裏不是一處兩處，所以，在應用《爾雅》了解古代文獻詞義時，必須首先弄清訓釋詞與被訓釋詞之間發生什麼關係。如訓釋詞是多義詞，特別要分析在這條裡取的是訓釋詞的哪一個意義？還要了解訓釋詞與被訓釋詞在什麼語言環境裡才能互訓。經過一番具體分析，應用時就不至於出差錯了。這些麻煩，固然是《爾雅》這部書不夠嚴密的缺點造成的。但《爾雅》已是歷史的陳跡，早在公元前四百年至三百年，世界上還沒有哪個國家有這樣完備的字典。今天，我們要依靠它來探求古代詞義，便不能苛責古人，只能要求今人多作過細的工作了。

第五節　《爾雅》的注本

要想弄清以上提出的問題，弄清《爾雅》訓釋詞與被訓釋詞之間的種種關係，必須以《爾雅》的注疏爲橋樑。

《爾雅》的注家，魏晉以前有犍爲文學、劉歆、樊光、李巡、孫炎等，都稱「舊注」，但材料已失散，後人採輯也未能完備。陸德明的《經典釋文·爾雅音義》中保留了一些。魏晉以後有沈旋、施乾、謝嶠、顧野王、裴瑜、陸德明等，各有短長，也未能系統。今天普遍使用的注本是晉代郭璞的注。郭注在闡發《爾雅》的體例，指出故訓的來源、根據上，較爲準確系統。爲郭注作疏的最通行的有兩家：一是邢昺的《爾雅注疏》（收入《十三經注疏》中）一是郝懿行的《爾雅義疏》。除此之外，邵晉涵的《爾雅正義》，從經學的角度講《爾雅》，許多地方優於郝疏，也可參考。

如何利用注疏來讀《爾雅》，舉《爾雅義疏》爲例：

〈釋詁〉：「初、哉、首、基、肇、祖、元、胎、俶、落、權輿，始也。」

《郭注》：「《尚書》曰：『三月哉生魄。』《詩》曰：『令終有俶』，又曰：『俶載南畝』，又曰：『訪予落止』，又曰：『胡不承權輿。』胚胎未成，亦物之始也。其餘皆義之常行者耳。此所以釋古今之異言，通方俗之殊語。」

郭注的特點是只提供難解的訓釋的依據。這裡舉《尚書》和《詩經》將「哉」、「落」、「權輿」的文獻依據說明了。又解釋「胎」爲什麼訓「始」。其餘都是常訓，郭璞不再加注。最後兩句話是闡發《爾雅》的體例。郝懿行的《義疏》除了對郭璞已注的幾點加以證實補充外，郭璞沒有注的，他也作了解釋，提供了依據。試舉郝疏「基」、「肇」，「祖」三字爲例：

《郝疏》：「古書多假借，今略為標舉。如『基』、『肇』、『祖』三字俱訓為『始』。《詩》『夙夜基命』，《禮．孔子閒居》『基命』作『其命』。《書》『丕丕基』，《漢石經》作『不不其』。《儀禮．士喪禮》注：『古文基作期』，是『期』、『其』通『基』也。」

『肈』乃『肁』之假音。《說文》『肁』始開也。《詩．後稷》『肈祀』，《禮．表記》作『兆祀』。是『兆』、『肁』通『肁』也。」

『祖』，古金石文字作『且』。《書》『黎明阻飢』。《史記集解》據今文《尚書》作『祖飢』，《索隱》據古文作『阻飢』。《詩．六月》『徂暑』，《箋》『徂，猶始也。』是『徂』、『阻』、通『祖』矣。凡聲同之字，古多通用。」

這三段疏，不但提出了「基」、「肇」、「祖」三字訓「始」的文獻依據，而且指出哪些字會借作這三個字，排除了文字障礙，使我們應用《爾雅》更方便了。所以，憑借注疏讀《爾雅》，是非常重要的。

---

①《爾雅略說》。

②直訓和義界是兩種不同的訓釋方式。用單詞訓釋單詞，叫作直訓。如「初，始也」。用一句話來概括詞的意義，爲之作出界說或加以具體形容，叫作義界。如「眉，目上毛也」、「丁丁嚶嚶，相切直也」。

③《爾雅·釋詁》文，「蓆」一本作「席」。

[作者簡介]

陸宗達，北京人，一九〇五年生。現任北京師範大學教授、中國訓詁學會會長。主要著作有《訓詁簡論》、《說文解字通論》等，近作《訓詁方法論》即將出版。

王寧（女），浙江海鹽人，一九三六年生。現任青海師範學院講師、青海省語言學會副會長，近年來在北師大充任陸宗達教授的助手，與陸宗達合寫了〈古漢語詞義研究〉、〈論比較互證的訓詁方法〉等論文及《訓詁方法論》等書。

《孟子》

楊伯峻

第一節　《孟子》內容和作者

《孟子》是記述孟軻言行以及他和當時人或門弟子互相問答的書。

《孟子》和《論語》有相同處，有相異處。《孟子》各篇，沒有有意義的題目，如《墨子》〈尚賢〉〈非攻〉、《莊子》〈逍遙遊〉〈齊物論〉之類，只是撮取篇首二三個字爲篇題。這一點和《論語》完全相同。《孟子》每篇之中有若干章，章和章之間沒有什麼邏輯聯繫，各自爲章，也和《論語》完全相同。兩漢人把《論語》看成「傳記」，也把《孟子》看成「傳記」，如《漢書・劉向傳》引「傳」曰「聖人者出，其間必有名世者」，「其間必有名世者」一句見於《孟子・公孫丑下》；《後漢書・梁冀傳》引「傳」曰「以天下與人易，爲天下得人難」，這二句見《孟子・滕文公上》；《說文解字》引《孟子・梁惠王下》「簞食壺漿」，也稱「傳曰」。如此者不少。這是第三點相同處。漢文帝時曾設立傳記博士，《論語》、《孟子》都是「傳記博士」之一，這是第四點相同處。《論語・堯曰》篇記載堯、舜、禹、湯、文王、武王的話，最後又述孔子的政治主張，這是所謂「道統」的最早記載。《孟子》最後一章（在〈盡心下〉）述孟子的話也是從堯、舜至湯，再從文王到孔子，最後落到自己。這是有其緣故的，是「道統」的再申述。這是《論語》《孟子》的第五點相同。《論語》一書，經常爲漢人引用，《孟子》也是如此，《鹽鐵論》中的賢良文學對丞相御史多用《孟子》語；《漢書·鄒陽傳》引其說王長君「夫仁人之於兄弟無臧（藏）怒，無宿怨」，本於《孟子·萬章上》；《漢書·兒寬傳》敍兒寬對漢武帝問，有「金聲而玉振之」一語即用《孟子·萬章下》。無怪乎在兩漢時《孟子》地位僅次於《論語》，爲諸子之冠冕。但它和《論語》有不同處。第一，《論語》講孔子容貌動作相當詳細，尤其〈鄉黨〉一篇；而《孟子》全書僅記孟子言語和出處。第二，《論語》記到孔子再傳弟子，如曾參死時召門弟子①，又如「子夏之門人小子」②；《孟子》僅記孟子和他弟子相問答，不涉及學生的學生。第三，《論語》記孔門弟子僅僅幾個人稱「子」，如「曾子」「有子」，而《孟子》則除萬章、公孫丑少數人外，多稱「子」，如「樂正子」「公都子」「屋廬子」「孟仲子」之類。因爲有這幾點相同和不同，便可以作出這樣的結論：《孟子》仿《論語》而作，但《論語》編纂於孔子再傳弟子之手，《孟子》大概是萬章、公孫丑二人所記，對同學輩稱「子」，對自己不稱「子」，全書文章風格一致，可能經過孟子親自潤色。至於對當時諸侯都稱諡，尤其是魯平公，死於梁惠王元年之後七十七年，孟子初見梁惠王，惠王就稱他爲「叟」（老先生），魯平公一定死於孟子後。不但魯平公死於孟子後，梁襄王也死在孟子後，就是齊宣王，也可能比孟子晚死三兩年，這些諸侯的諡，大概是孟軻門徒追加或追改的。《史記·孟子列傳》說：「是以所如者不合，退而與萬章之徒序《詩》《書》，述仲尼之意，作《孟子》七篇」，這話是大體可信的。

《孟子》七篇是：〈梁惠王〉、〈公孫丑〉、〈滕文公〉、〈離婁〉、〈萬章〉、〈告子〉、〈盡心〉。後漢趙岐作《孟子章句》，把每篇分爲上、下，則七篇共十四卷。

第二節　孟子生平

孟子是孔子以後儒家一大派，對後代的影響很大，因此應該知道他。

孟子名軻，大概生於周安王十七年（公元前三八五年），死於周赧王十一年（公元前三〇四年），活到八十多歲。他是鄒國人；即今天山東鄒縣東南郊。相傳他幼小時死了父親，他母親爲著教育他，有「三遷」和「斷機」的事③。

孟子出生時，距離孔丘的死將近一百年，不但看不見孔丘的學生，連孔丘的孫子子思、曾孫子上都趕不上。孟子所從師的可能是一位不著名的儒者，因此他自己說：「予未得爲孔子徒也，予私淑諸人也。」④

孟子學成以後，便出遊齊、魏、滕等國，向當時諸侯講「仁義」，講統一天下的方法，講治國的政策。可是當時諸侯只是表面尊敬他，心裡卻認爲他的那一套「迂闊」，不切合實際。他首先說齊威王，碰了釘子，便去游說宋王偃，也不得意，曾和滕定公的太子，就是不久後繼承君位的滕文公相見，仍然回到家鄉。後來又到魯國，魯平公要來拜訪孟子，卻被人破壞。滕文公即位，孟子來到滕國。可惜滕國太小太弱了，而且滕國的大臣多半是消極無所作爲的人，孟子也年近七十，到了梁國。梁國就是魏國，因爲國都由舊都安邑（今山西夏縣西北）遷到大梁（今河南開封市），所以又稱梁國。孟子同梁惠王和他兒子梁襄王都先後相見，可惜梁惠王不聽信他；梁襄王呢，孟子有些厭惡和輕視他，所以，孟子離開梁國，又到齊國。這時正當齊宣王之世，齊宣王不用孟子的計謀。孟子離開齊國，已經七十多歲了，從此不再出外游說，和他的學生萬章、公孫丑之流著述《孟子》七篇。

第三節　孟子的學說

孟子以孔子的嫡傳和繼承人自任，他的學說基本上和孔子相同，甚至有些地方比孔子還拘泥；但也有比孔子進步處，這是由於孔子所處是春秋晚年，孟子所處已進入戰國，時移世異，自應有所不同。

《論語·堯曰》篇是孔子的政論大綱，先引堯、舜、禹、湯、周，然後說出自己的施政綱領，足見孔子是以唐堯、虞舜、夏禹、商湯、周文、武，和周公爲「先聖」，而自己是繼承他們衣缽的。從今天的歷史觀看來，唐堯、虞舜只是傳說中的人物，縱有其人，也只是原始社會已經解體之際，部落聯盟的大酋長。夏禹以後，由大酋長的推選制度改變爲世襲制。夏、商二代已經進入奴隸社會。儒家粉飾歷史，也紛飾歷史人物。《論語·堯曰》篇已經是後代「道統」的先兆，《孟子》的最後一段說得更明白，堯舜至湯，湯至文王，再至孔子；孔子而後，便是自己了。這一「道統」，到唐朝韓愈便自認他是遙接孟軻的了⑤。

孔子講「仁義」，孟子也講「仁義」。孔子把「仁義」和「利」絕對對立，孟子也如此主張，這是他們的相同處。但是孔子只說「性相近」⑥，孟子卻一口咬定「性無有不善」

⑦。孔子還說：「微管仲，吾其被（披）髮、左衽（衣衿向左開）矣。」⑧甚至稱管仲「如其仁，如其仁」，意思是，這就是他的仁德⑨，孟子卻非常輕視管仲⑩。孔子也曾幾次講到齊桓公，還有一次評論了晉文公⑪，孟子卻硬說：「仲尼之徒無道桓（齊桓公）文（晉文公）之事者」⑫。孔子不講井田，孟子卻想復古，欣然替滕文公設計井田規劃⑬。這些是孟子的拘泥處。

孟子比孔子有進步的地方，主要是以民爲重和君臣關係。這些，一則由於時代的進步，二則由於孟子「兼善天下」思想的擴張運用。孔子講君臣關係，最多只是說：「君使臣以禮，臣事君以忠」⑭。而孟子則說：「君之視臣如手足，則臣視君如腹心；君之視臣如犬馬，則臣視君如國人；君之視臣如土芥，則臣視君如寇讎」⑮。孟子甚至答覆鄒穆公說：「出乎爾者，反乎爾者也」⑯，意思就是，你怎樣對待人，人就照樣回報你。君臣關係如此，君民關係更如此，沒有單方面要求人家怎樣怎樣的。孟子而且更進一步說，「民爲貴，社稷次之，君爲輕」⑰。這是當時極可貴的民貴君輕論。

孔子不大相信鬼神，他的學生說，他不談「神」⑱，但《論語》一書中，只一萬二千多字，卻出現「神」字十七次，「鬼」字五次。《孟子》一書，共三萬五千多字，幾乎多於《論語》二倍，竟沒有一次「鬼」字，只有一次「百神」字。孔子可能是無神論者，孟子眞正是無神論者。

孟子和孔子一樣，「六合之外，聖人存而不論」⑲。他們所談的，基本上是治國、平天下的主張。但孔子也談到曆法，因爲曆法關係民生。孔子主張「行夏之時」⑳。什麼叫「行夏之時」呢？古人認爲歷法有「三正」，通行於夏、商、周三代，夏代以建寅之月（含「立春」之月）爲一年的第一月（歲首），商代以建丑之月（今農曆十二月）爲歲首，周代以建子之月（含「冬至」之月，即今農曆十一月）爲歲首。其實，這未必是夏、商、周三個朝代的不同曆法，僅僅是春秋時代三個民族地區的不同曆法。晉國是夏墟，行的是以建寅之月爲正月（歲首）的曆法；宋國是商墟，行的是以建丑之月爲正月的曆法；周朝以及魯國行的是以建子之月爲正月的曆法。當然，建寅的曆法，正月一般是立春之月，春、夏、秋、冬四時合於農時，便於農活，就在春秋以及西周，民間都行此種曆法，所以孔子說「行夏之時」。孟子更懂得曆法。他說過：「天之高也，星辰之遠也，苟求其故，千歲之日至，可坐而致也」[21]。「故」是「所以然」的意思，用現代術語說，是客觀規律。天極高，星辰極遠。只要知道他們運行的規律，今後一千年的冬至日，可以坐著計算出來。孟子論治水，也說，一定要遵循水的規律。遵循水的規律，便用不著穿鑿附會、自以爲是的聰明智慧了。這是孟子的進步處，也是他的唯物主義的表現。

但是一談到「性善」、「行仁政」等等，孟子便陷入唯心主義的泥沼而不能自拔。討論人性和對待自然物不同，尤其和對待天體運動不同。孟子卻等同起來，說什麼「天下之言性也，則故而已矣。故者以利（順利）爲本」云云[22]。這話是說：「天下的討論人性，只要能推求其所以然便行了。推求其所以然，其礎在於順其自然之理。」一切事物都有其「所以然」，都應該「順其自然之理」。然而「自然之理」不是一時一人所能完全掌握的。不但天體運動如此，人的屬性更是如此。「人性」不但有自然因素，還有更多的社會因素，尤其不能不打上階級烙印。在生理學、心理學、社會科學沒有發達，甚至尚未成爲學科的時代，孟子一定要把人性和水比附，說什麼「人性之善也，猶水之就下也。人無有不善，水無有不下」㉓，這叫做瞎比附。如果性惡論依樣畫葫蘆地說：「人性之惡也，猶水之就下」，孟子怎麼回答呢？

孟子還有一套外推術的形而上學的方法論。

他說，有人突然看一個小孩要跌下井去，都有懼駭而同情的心情。這心情便是自然產生的。同情之心是「仁」的萌芽，羞恥之心是「義」的萌芽，推讓之心是「禮」的萌芽，是非之心是「智」的萌芽㉔。由看見小孩將掉下井的懼駭同情的心情，推而斷定人人都有同情之心，又推而人人都有仁、義、禮、智的萌芽。然後又向外推以至於「萬物皆備於我矣」㉕。這種外推術，可以不要任何論證，便隨心所欲地引導出自己的結論，無怪乎「外人」（孟子和孟子徒弟以外的人）都說孟子「好辯」㉖了。

不知道是孟子這樣的思想方法——比附和外推——導致孟子在論有關上層建築範圍的事物陷入唯心主義呢，還是孟子的唯心主義導致他採取這種詭辯術呢？總而言之，唯心主義和形而上學的比附以及外推的思維術，在孟子學說上，是結成不解緣的。

第四節　孟子的悲劇和鬧劇

孟子一生不得志，主要是他自取的。他把事物分爲兩類，一類是本身有的，即內在的；一類是外在的。本身有的，如仁義禮智，「求則得之，舍（捨）則失之」，這是求而有益於得的。外在的，如富貴利達，這是求而未必能得的㉗。因此孟子雖然極想「達則兼善天下」㉘，卻不肯考察當時天下形勢已容不得他執行復古的井田制；諸侯講富國強兵以及合縱連橫唯恐不足，更聽不得「善戰者服上刑，連諸侯者次之，辟草萊、任土地者次之」㉙的議論。無怪乎縱是逞其口舌，終不能說動諸侯，退而著書了事。和孟子出生稍後的商鞅，卻在孟子尚未老邁之年，得行其法於秦，使秦孝公奠定富國強兵的基礎。雖然死得很慘，但他那一套主張，仍然未被廢除，終於導致秦始皇統一天下。商鞅是唯物主義者，孟子是唯心主義者，這或許是他們成敗的關鍵之一罷。

孟子雖然被稱爲「亞聖」（始於元順帝至順元年，公元一三三〇年，定於明世宗嘉靖九年，一五三〇年），在孔廟裡陪著孔丘吃冷豬肉（當時叫「配享」），但到明太祖洪武四年（一三七一），朱元璋卻對孟子的重民思想極不高興，甚至說：「這老頭兒要活到今天，非嚴辦不可。」洪武二十七年（一三九四）叫人把《孟子》所有有關重民思想的章節全行删去，書名《孟子節文》，連所引〈湯誓〉「時日曷喪？予及女偕亡」㉚都删去了。共計删除八十五條，並且不准士人學習這些被删去的章節，更不准用它作考試題目。有一段時間，還把孟子牌位逐出孔廟，經人勸說才得恢復。這固然不能說是孟子的悲劇，反而反映他所以遭專制魔王的迫害，更覺得他重民思想的可貴。這只是孟子身後的一幕鬧劇罷了。

《孟子》文字比較容易懂，而且文章也好，流暢之極。古代孔子學派，孟軻和荀卿並稱。荀子對後代學術的影響和貢獻都比孟子大㉛。文章邏輯性也比孟子細密，只是文章氣勢沒有《孟子》雄偉，因之清代以前都稱道《孟子》。現今讀《孟子》，可以先看楊伯峻《孟子譯注》，由趙岐的《孟子注》孫奭的《疏》組成的《孟子注疏》和清焦循的《孟子正義》都可供參考。

---

①《論語・泰伯》。

②《論語・子張》。

③見《列女傳》。

④《孟子・萬章下》。

⑤韓愈・〈原道〉。

⑥《論語・陽貨》。

⑦《孟子・告子上》。

⑧⑨⑩《論語・憲問》。

⑪見《孟子・公孫丑上》。

⑫《孟子・梁惠王下》。

⑬《孟子・滕文公上》。

⑭《論語・八佾》

⑮《孟子・離婁下》。

⑯《孟子・梁惠王下》

⑰《孟子・盡心下》。

⑱《論語・述而》。

⑲《莊子・齊物論》。

⑳《論語・衛靈公》

㉑《孟子・離婁下》。

㉒《孟子・離婁下》。

㉓《孟子・告子上》。

㉔節譯自《孟子・公孫丑上》。

㉕《孟子・盡心下》。

㉖《孟子・滕文公上》。

㉗㉘《孟子・盡心上》

㉙《孟子・離婁下》。

㉚《孟子・梁惠王上》。

㉛見汪中《述學・荀卿子通論》。

國立中央圖書館出版品預行編目資料

經書淺談／楊伯峻等著. --初版, --臺北市
：萬卷樓發行：三民總經銷, 民78
面； 公分. --(文史知識叢書)
ISBN 957-739-026-9 (平裝)

1.經學

090 82006432

經書淺談

著　　者：楊伯峻
發 行 人：葉曉珍
總 編 輯：許錟輝
責任編輯：曾恆源
發 行 所：萬卷樓圖書有限公司
台北市和平東路一段67號14樓之1
電話(02)3216565・3952992
FAX(02)3944113
劃撥帳號15624015
總 經 銷：三民書局股份有限公司
台北市復興北路386號
訂書專線(02)5006600 (代表號)
FAX(02)5164000・5084000
承印廠商：高越彩色印刷有限公司
定　　價：120元正
出版日期：民國78年10月初版
民國82年9月初版二刷
出版登記證：新聞局局版臺業字第伍陸伍伍號

(如有缺頁或破損，請寄回本
⊙本書由作者授權出版
IS

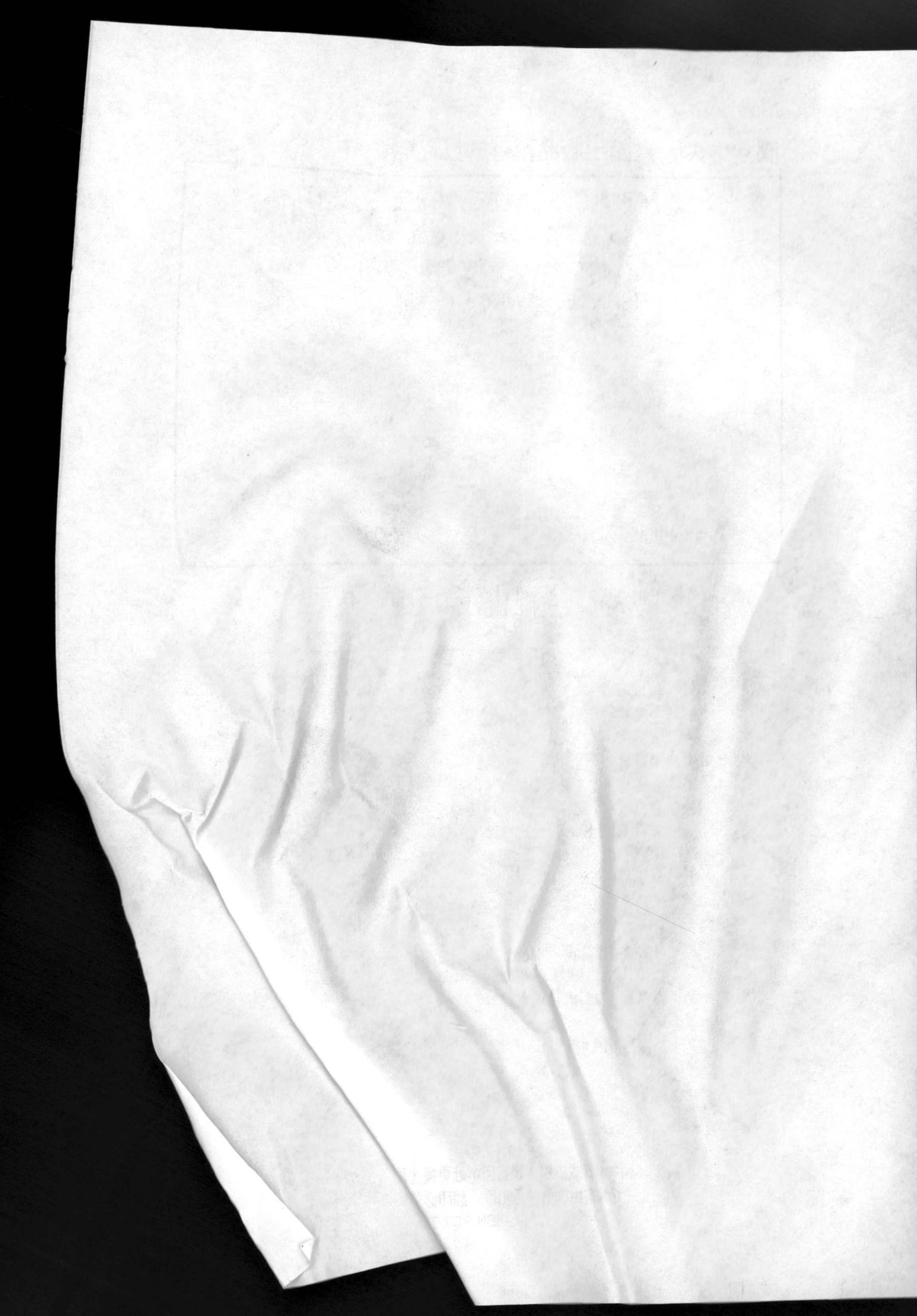